POST MORTEM

Pete
Terri

 Uitgeverij De Arbeiderspers
Utrecht • Amsterdam • Antwerpen

Roman

n

POST

RTEM

Boekverzorging en omslagontwerp: Studio Ron van Roon
Foto auteur: Stephan Vanfleteren

Eerste druk mei 2012
Tweede druk oktober 2012

ISBN 978 90 295 8344 2/NUR 301

www.arbeiderspers.nl
www.facebook.com/peter.terrin

Voor mijn dochter

'We zijn niet wie we zijn,
we zijn wat de wereld van ons weet...'
– W.F. Hermans, *Herinneringen van een engelbewaarder*

Ze wordt geboren op 10 augustus 2004, Renée Steegman. Om 14 uur 56 verlaat ze met een diepe frons tussen de wenkbrauwen de moederschoot. Terwijl ik Tereza help ademhalen, hangt boven ons een vroedvrouw die tegen de gigantische buik duwt. Tereza wil niet bevallen, ze wil haar kind dicht bij zich houden, ze weet dat ze haar buik vreselijk zal missen. Ze is tien dagen over tijd, de gynaecoloog vindt dat het nu moet gebeuren. 's Morgens gaan we naar het ziekenhuis en de weeën worden met medicatie opgewekt. Ik heb een boek mee, waar ik maar een halve pagina in lees. Tereza is verdrietig, onrustig, bang. Dan komt de pijn, de epidurale verdoving is te laat. Het lijkt of ze midden in de bevalling flauw zal vallen, ik weet niet of het kan, met zoveel adrenaline in het bloed, vrouwen die tijdens een bevalling flauwvallen. Als het hoofdje tevoorschijn komt, zegt de gynaecoloog: kijk, het hoofdje, ze heeft veel haar. Maar ik wil het niet zien, ik wil pas kijken als ze echt is geboren, huilt, leeft. Naar mijn gevoel heb ik nog alles te verliezen.

1

Als een blinde zocht hij met gestrekte armen naar de handdoek. Zijn ogen openen zou het prikken erger maken.

Hoe lang was het geleden dat hij shampoo in zijn ogen had gekregen? Hij kon het zich niet herinneren. In zijn kindertijd, allicht. Misschien had hij wel vaker shampoo in zijn ogen, betere shampoo, die niet prikte. Of was dit ouder worden, kleinzerig? Zou hij straks de shampoo van Renée moeten gebruiken, geurend naar aardbei?

Je bent veertig, dacht Emiel Steegman. Veertig is niet oud.

Tot overmaat van ramp hing niet één handdoek aan het verchroomde rekje boven de radiator, binnen bereik.

Steeds probeerde hij anderen, door het goede voorbeeld te geven, door handdoeken op te hangen aan het rekje, duidelijk te maken hoe zij hem met eenvoudige dingen een plezier konden doen. Hij faalde.

Zijn boodschap was niet duidelijk. Ze meenden dat hij steeds hún een plezier deed. Op den duur vonden zij het normaal.

Wat zou Otto Richter hiertegen beginnen? De beroemde, bestverkopende schrijver genoot vanzelfsprekend de voordelen van zijn gezegende leeftijd, wat echter toen hij veertig was? Had hij dan al een jongere, onderdanige vrouw, die nauw op dingen als handdoeken lette? Wat als het humeur van Richter door een handdoek danig werd verstoord, dat de woorden hem de rest van de dag in de steek lieten? Het was simpelweg ondenkbaar. Hij had een huishoudster in dienst. Net zoals de weidse etage die hij toentertijd betrok in het rijkste kwartier van de hoofdstad, maakte het niet uit of hij zich een huishoudster kon veroorloven. Een schrijver, dat was toch iemand die de wereld naar zijn hand zette?

Een flits van Tereza, zijn eigen vrouw, ze had een met kant afgezette voorschoot om, een kapje op het hoofd, meer niet; ze kwam niet voor de handdoek.

Hij wimpelde zijn gedachte af, er was geen tijd, maar hij voelde zich al minder door haar nalatigheid ontzet dan voordien.

Hij stootte flacons om, badzout, speelgoed, de grote plastic kikker met de kleine kikkertjes erin. Hij leunde op de badrand en tastte zo ver hij kon naar een handdoek die mogelijk op de radiator lag. Onwillekeurig bewogen zijn ogen achter de gesloten oogleden, volgden zijn handen, keken naar wat hij zich verbeeldde, en elke beweging verhevigde het prikken. Misschien was het een zenuwaandoening, die plots, door de warmte van het stortwater, was doorgebroken. Een remedie tegen deze zeldzame ziekte bestaat niet. Slechts pijnstillers kunnen hem helpen, maar ook verdwazen zij hem en maken het schrijven compleet onmogelijk.

Een paar zinnen per dag, hooguit, getikt met betraande ogen. De rest van de tijd suffen op de bank. Dik worden.

Waarom zocht hij een handdoek? Hoe zou een handdoek de pijn verlichten? Waar zat hij met zijn gedachten?

Weer zag hij de kaart van Europa, dit keer versierd met vreemde, bewegende sterretjes, die door zijn oogspieren telkens in één richting werden geduwd, langzaam vertraagden, tot ze weer één kant op schoten. Vroeger, toen hij een kind was, in het eerste donker na het doven van het nachtlampje, verscheen precies dit soort sterretjes tegen de zwarte binnenkant van zijn ogen. Het waren er altijd twee. In die tijd had hij niet aan sterretjes gedacht, maar aan de oplichtende ogen van een uil, die voor de rest onzichtbaar bleef. Het was een wijs dier, dat over hem waakte en dat hij in gedachten, nooit hardop, aansprak met 'Meneer de Uil'. Hij bleef de hele nacht bij hem, verdween pas vlak voor hij 's morgens wakker werd. Hij vertelde het aan niemand; het kwam hem zo normaal voor als het hebben van een vader en een moeder.

Misschien was zijn Meneer de Uil, die in niets geleek op deze uit Fabeltjesland, een vroege indicatie geweest van een sluimerende oogaandoening.

Hij navigeerde de sterretjes over de kaart van Europa, naar boven, naar het noordoosten, richting Baltische Zee en het trio voormalige Sovjetrepublieken. Hij had zich reeds ten volle op het diner voorbereid, en wist, zou nooit meer vergeten, dat Estland de bovenste van de drie staten is, hoofdstad Tallinn.

Op internet had hij ook het portret gevonden van een van de genodigden. De schrijver, ongeveer zijn leeftijd, had zich op aangeven van de fotograaf met zijn minst vleiende kant naar de lens gekeerd. Tenzij hij ook aan de andere zijde geplaagd werd door een vleesknobbel ter hoogte van de neusvleugelplooi, wat zeer onwaarschijnlijk leek. Nog minder waarschijnlijk was het, dat de Estse schrijver met opzet zijn lelijke kant had laten fotograferen, een statement ten overstaan van al die lezers die het belangrijk vinden dat boeken door mooie mensen worden geschreven, omdat de man er voor het overige verzorgd uitzag, zelfs geamuseerd glimlachte, tevreden met de wereld. Conform het beeld van de intellectueel droeg hij een overhemd met losse boord en een corduroy colbertjasje. De fotograaf had beslist een esthetische toets, maar een klare kijk ontbrak.

De knobbel was geen klassieke wrat, eerder een vergroeiing, als de knopen in een boomstam, die naarmate de man ouder werd onvermijdelijk in omvang zou toenemen en steeds nadrukkelijker zijn gezicht zou bepalen.

Wellicht heeft hij, dacht Steegman, terwijl hij water van zijn kin op de tegelvloer hoorde druppen, de fotograaf geen weerwoord durven te bieden. Een onbekende schrijver, blij dat zijn portret wordt gemaakt.

Want dat waren ze tenslotte allemaal: onbekend.

Een diner met onbekende, goede schrijvers. De helft uit Estland. Uitmuntend georganiseerd door samenwerkende culturele overheidsinstanties, die de literatuur van hun land onder de aandacht wilden brengen. Een select gezelschap – niet meer dan twaalf personen, was hem verzekerd.

Gecharmeerd door de goede bedoelingen en de onbetwistbare eer van de uitnodiging, had hij niet meteen nee gezegd.

Nog nooit had hij meteen nee gezegd.

Nee kon altijd later nog. Je wist maar nooit waar iets goed voor was. Uit welke richting het duwtje in de rug zou komen. Wie het kleine niet eert. Et cetera. Hij gruwde van de kruideniersmentaliteit die hem telkens opnieuw, impliciet, door aardige mensen werd aangepraat.

Na tien jaar schrijven, na vijf boeken, moest hij zich nog steeds tevredenstellen met kleine blijken van welwillendheid, met dineetjes midden in de week met Estse schrijvers die hier vier weken in een kasteel resideerden, en morgenavond vermaakt dienden te worden op een cultureel verantwoorde wijze. Een uitwisseling van intellectueel kapitaal. Hoeveel van zijn collega's hadden niet meteen voor de eer bedankt, voor men, uiteindelijk, aan hem had gedacht, aan Steegman, altijd erkentelijk?

Hij liet de rand van het bad los en richtte zich op. Bang om uit te glijden draaide hij langzaam om zijn as, en tastte naar de waterkraan. Een handdoek zou geen soelaas bieden.

Het stond in de sterren geschreven dat hij naast de man met de neusknobbel aan tafel zal komen te zitten. Gedurende de hele maaltijd kan hij van nabij de uitwas bestuderen. Het ontneemt hem alle appetijt en doet hem midden in de nacht met een schreeuw ontwaken uit de ergste nachtmerrie sedert lang. De man is natuurlijk zo beleefd als hij zelf is. Ze schenken elkaar water bij, bieden het broodmandje aan. Belangstellend informeren zij naar elkaars werk. Hij heeft het over zijn weldra te verschijnen roman, *De moordenaar*, ja, zijn zesde al, en onderling, met z'n tweetjes, of zij al jaren vrienden zijn, heffen zij plechtig het glas op het succes van zijn nieuwe boek. Hij belast de verminkte Est niet met zijn geringe vertrouwen in de goede afloop.

De douchekop sputterde, kort daarop gleed de hitte als een lang gewaad over zijn hoofd. Het water sloot zijn oren af. Zijn stem, inwendig, klonk zwaar en ernstig: 'Wegens nogal moeilijke tijden in de familie.' Hij wachtte even, en herhaalde toen de woorden. 'Wegens nogal moeilijke tijden in de familie.'

Vooral het woord 'nogal' beviel hem.

Toen hij de zin een derde keer had herhaald, wist hij dat hij een bruikbaar excuus had geformuleerd, dankzij 'nogal'. Het was tegelijk vaag en dringend. Relativerend en dreigend. Eerst leek het wel mee te vallen, nu was het toch 'nogal moeilijk'. Dat het excuus zo laat kwam, zou het nog geloofwaardiger maken.

Het was ook of hij met dat ene woordje de directrice van de organisatie iets persoonlijks toevertrouwde, zonder te zeggen wat. Zijn openhartigheid zou meteen begrip opwekken, ze zou herinnerd worden aan haar eigen besognes. In haar antwoord op zijn e-mail, binnen het kwartier, zou ze hem sterkte toewensen, discretie beloven. Als ze iets kon doen...

Hij leunde met beide handen tegen de muur, licht voor-overgebogen, alsof hij, door die moeilijke tijden getroffen, optrad in zijn eigen speelfilm. Hij was het prikken in zijn ogen bijna vergeten, richtte zijn gezicht naar de harde stralen, maar durfde niet te kijken.

Hij zag de directrice, de tulpen in het elegante vaasje op de met linnen gedekte tafel. Ze wacht op haar man, die voor haar gekookt heeft, snel haalt hij de pepermolen. Ze zou hem al kunnen toespreken, over het kookeiland heen, maar ze wacht, inhaleert dankbaar de kruidige dampen die opstijgen van haar bord. Ze is een vrouw van bijna vijftig, wekelijks bezoekt ze de kapper. Moet je horen, zegt ze tegen Hans of Henk, wanneer die monter aanschuift. Steegman, je weet wel, blond haar en een zwaar brilmontuur? Hij heeft afgezegd voor het diner. Ik kreeg vandaag een kort bericht. Er moet daar iets ernstigs aan de hand zijn. Iets met zijn vrouw of zijn kind. Steegman zegt nooit nee...

Hij besloot af te tellen, zoals hij bij Renée zou doen. Het was de enige manier. Maar al bij twee, om zichzelf te bewijzen dat hij een man is, opende hij zijn ogen. Hij moest ze opensperren om te weerstaan aan de reflex ze te sluiten. Hij dacht dat hij kon voelen hoe elk van de scherpe waterstralen een deukje maakte in zijn weke oogballen. Opnieuw besloot hij te tellen, tot tien, dan zouden de schuimresten helemaal verwijderd zijn. Hij telde tot twintig, omdat na vijf het staren in het bruisende waas hem aangenaam geworden was. Bij twintig veranderde het prikken in een nieuw, onbekend gevoel, dat sterk op uitdroging leek.

Na wat knipperen en knijpen keek hij bij wijze van test om zich heen. In de badkamer stond alles op zijn vertrouwde plaats. De lichte, blauwgroene muurtegels uit de late jaren vijftig, rondom schouderhoog, overheersten nog steeds de ruimte, riepen nog altijd beelden op van mooie zwembaden in de zomer. Het bidet met het kapotte kraantje. De bestofte potjes en flesjes op het houten rek, met onderin de handdoeken. De grote wastafel, de spiegel, bruin bespikkeld, de kleurige visjes en hun zwierige staartvinnen, die in een rij op het vensterglas zwemmen.

Van het prikken voelde hij niets meer. Zijn zicht was scherp, zonder bril. Scherper dan ooit zag hij de spullen die zich een weg hadden gebaand naar dit huis, zich hadden ingesleten in zijn leven.

2

Steegman schikte het stapeltje post dat hij sinds vier dagen op de hoek van de eettafel had verzameld netjes in een rechte hoek. Bovenop lag een envelop van een bankinstelling. Lodewijk. De voornaam van de overbuurman viel op in het venstertje van de geadresseerde, het woordbeeld. Lodewijk. Je zag de naam nergens meer, tenzij op doodsbrieven of geboortekaartjes.

Twee jaar geleden hadden ze kennisgemaakt, op het gazon in Lodewijks voortuin, kort na de verhuizing. Steegman mocht 'Wiet' zeggen, of 'Wietje', zoals iedereen in de straat en het dorp hem noemde. Een verbastering van 'Louis', vermoedde Steegman, toen een verklaring uitbleef. Maar iets in de houding van Lodewijk, iets in zijn schouders, iets om zijn mondhoeken verried dat hij niet echt een man van verkleinwoordjes en roepnamen was. Dat hij die naam gebruikte, of had toegestaan, om zich anders voor te doen. Om in de gunst van de dorpelingen te komen, zich een van hen te tonen, aanvaard te worden. Dat hij in zijn binnenste, in de beslotenheid van zijn woonkamer, 's avonds, een diepe, aan haat grenzende afkeer voelde van iedereen die hem 'Wietje'

durfde te noemen. Hij was een gepensioneerde bankbedien-
de met vierenveertig jaar trouwe dienst! Het uitschot.

Tegelijk wist Steegman dat de buurman het hem kwalijk
zou nemen als hij niet op het aanbod inging. Hij zou er de
man zelf mee afwijzen. Alsof Steegman, de stadsmus, niet
kon aannemen dat Lodewijk een sympathieke, nederige
dorpeling was. Hij zou hooghartig worden bevonden.

Het gesprek duurde bijna tien minuten. Voortdurend
oefende hij in gedachten, om ten minste één keer 'Wiet'
te zeggen. Hij kreeg de belachelijke naam uiteindelijk niet
over zijn lippen. Hij had geen zin om iemand die hij nauwelijks kende 'Wiet' te noemen. De morele dwang voelde als
een schending van zijn privacy. Daarom gebruikte hij bij het
afscheid gewoon 'Lodewijk', vriendelijk. Het was tenslotte
zijn voornaam.

Op het gezicht van Lodewijk merkte hij niets. Mogelijk
dacht hij dat Steegman het royaal aangeboden vertrouwen
eerst wilde verdienen. Of, erger, dat hij de roepnaam vast
vanaf hun volgende ontmoeting in gebruik zou nemen. Niettemin hadden de drie voorzichtige lettergrepen, in Steegmans beleving, als hamerslagen geklonken op de vlaggen-
stok waarmee men een territorium opeist.

Het stapeltje post in de ene hand, Renée aan de andere,
daalde hij het natuurstenen pad af, dat van de voordeur, aan
de zijkant van de bel-etage, naar het voetpad leidde.

Hij herinnerde zich het blauwe mandje.

De dag na hun terugkeer van vakantie, vorig jaar, bracht

Lodewijk, vroeg als de reguliere postbode, een blauw mandje. De post, die hij op Steegmans verzoek uit de bus had gelicht, werd in het mandje gescheiden door telkens een A4 waarop hij met vulpen dag en datum had genoteerd, in schoonschrift. Per dag de belangrijke correspondentie boven op het reclamedrukwerk.

Steegman had hem uitvoerig bedankt.

Lodewijk hoefde het mandje niet meteen terug. Hij keek ernaar en zei dat hij het niet meteen nodig had, dat ze alles rustig konden doornemen. Toen zijn mededeling geen reactie kreeg, zei hij dat de volgende dag ook goed was. In de voormiddag. De volgende dag waren zijn vrouw en hij toevallig 's namiddags uit. Maar Steegman kon dus in de voormiddag het mandje terugbezorgen. Hij vroeg of hem dat paste, en toen Steegman knikte, zei hij: 'Dat is dan afgesproken. Morgen, voor de middag.' De aanstalten van Tereza om de post gewoon uit het mandje te halen en op tafel te leggen, werden op hevig protest onthaald. Lodewijk had het mandje immers nergens voor nodig. En de volgende dag was ook goed. Vóór halfeen. Want om halfeen ten laatste, zei Lodewijk, terwijl hij Steegman in de ogen keek, had zijn vrouw willen vertrekken.

Het was een mandje van niks. Oud, babyblauw plastic uit de jaren zestig. Waar Lodewijk het nóg voor gebruikte, kon Steegman zich niet voorstellen.

Voor de post van Lodewijk had hij geen mandje nodig. Hun vakantie duurde maar vijf dagen; wandelen in de Elzas. De post zou gemakkelijk in de hand van Renée passen.

Boven aan de straat twee scherpe ontploffingen in een knalpot – een kleine auto schoot vooruit. Het uitgebouwde koetswerk verborg de wielen en hing zo laag tegen het wegdek dat het sneeuw had kunnen ruimen. In de auto werd op een reusachtige trom geslagen. Steegman voelde de schrik in Renée, hoe ze aarzelde om de stap naar het voetpad te zetten.

Dit maakte deze rustige straat, niet langer dan honderdvijftig meter, zo gevaarlijk. Ongehinderd door andere weggebruikers, uitgenodigd door de helling, stortten chauffeurs zich naar beneden. Aanvankelijk had Steegman wat graag de roekeloze imbecielen achternagerend om ze een lesje te leren, zoals Garp deed in de verfilming van het boek. Maar Garp was een worstelaar. Of hij daadwerkelijk fysiek geweld gebruikte, was Steegman vergeten. Hoe dan ook bezorgde elke idioot die door deze woonbuurt scheurde hem visioenen van uitzinnige geweldpleging. Hij sleurde hen uit de wagen, gebood hen op te staan en sloeg met zijn blote vuist meerdere keren vol in hun gezicht. Uitleg gaf hij de huilende chauffeurs niet. Toen ze bloedend en vrijwel bewusteloos op de grond lagen, keerde hij hun de rug toe en ging naar huis. Getuigen durfden hem niet aan te spreken of tegen te houden, het merendeel knikte instemmend.

Maar Steegman had nog nooit iemand in het gezicht geslagen. Altijd was hij het gevecht uit de weg gegaan, altijd won zijn zelfbehoud het van zijn woede. Dus schonk hij de snelheidsduivels al van ver zijn smerigste blik. Beter kon hij, staand op het voetpad, niet verzinnen. Gebaren maken zou agressie uitlokken. Hij keek zo smerig als een hogerop-geleide vader met kabbelende loopbaan kijken kon. In het beste geval ketste zijn blik als een steentje van de voorruit af, zodat de bestuurder even met de ogen knipperde. Door-gaans was zijn blik een bloesemblaadje of zaadpluisje, dat, gegrepen door de luchtstroom, over de lengte van het koets-werk gleed zonder de auto één keer te raken.

Meer dan de lange, opgerichte klep van een pet was er bo-ven het stuurwiel niet te zien. Als een kleuter over de rand van een badkuip tuurde de chauffeur naar buiten, terwijl hij dooreengeschud werd door de geringste oneffenheid in het wegdek.

Toen het tumult hen voorbijraasde, kneep Steegman vanzelf in Renées hand. Dertig meter verder moest het wagentje hard in de remmen om niet door het verhoogde kruispunt gelanceerd te worden in het luchtruim. Opnieuw knalde de uitlaat, een vlam schoot uit de pijp.

'De auto brandt.'

'Nee, schatje. Dat lijkt alleen maar zo. Kijk, het is al voor-bij.'

'Waarom is het al voorbij?'

'Ja, wat jammer.'

'Waarom?'

Snel wierp hij een blik op de nabije huizen, of er ramen openstonden. Maar er was nog lawaai genoeg, van de motor, van de trom, om zijn woorden te overstemmen. Waaróp, bo-vendien, zou men hem betrappen?

'Was de auto blijven branden, dan had de rode brandweerwagen moeten komen, om het vuur te blussen.'

Ergernis over het toontje waarop hij haar toesprak. Het was vals opgewekt, het was belerend, het was zoals het hoorde, bedoeld voor hen die meeluisterden.

'Waarom?'

Daar had je het afwezige, automatische 'waarom', waarop elke poging tot antwoord een vergeefse moeite was, omdat het altijd op hetzelfde 'waarom' onthaald werd.

'Eerst kijken we links,' zei hij. 'Dan kijken we rechts, en dan weer links.'

Renée keek voor zich uit. Aan de overkant huppelde een poes op drie poten naar de straat. Het stompje was mooi met haar begroeid, alsof het dier zo geboren was. Plots het doembeeld van een halfdode raskat, die hij verzuimd had eten voor te zetten. De lichtgrijze haren onveranderd dik en glanzend, de ogen een weinig verbaasd. Elf jaar lang hun lieveling, Charlie, kwijnend in de rotanstoel. Maar hij wist zo goed als zeker dat Lodewijk niets over huisdieren had gezegd. Nee, Lodewijk en huisdieren, dat vloekte.

Het was halftien en de zon straalde op de gevels aan de overzijde. Hij had het ooit beschreven in een roman, welke kon hij zich niet meteen voor de geest brengen, wat dit soort zon, in het voorjaar zowel als het najaar, deed met de voorwerpen die het beroerde. Hoe het door de intensiteit, door de verzadiging van kleuren was of de huizen geen dode materie waren, geen stenen en cement, maar levende wezens, die zich geduldig langs ontelbare wegen stilhielden tot het juiste ogenblik was aangebroken.

Zij wisten dat hij het wist.

Deze huizen stonden alleen, het waren eenvoudige maar degelijke woningen uit een tijd waarin de afwezigheid van een bouwstijl de gangbare mode was – anders dan zijn huis, van een uitgesproken burgerlijke signatuur. Een potpourri, charmant het hoogst haalbare. De meeste werden bewoond door de eerste eigenaars.

De rolluiken van Lodewijks huis waren tot op tien centimeter van de vensterbank neergelaten. Ook als het regende gingen de rolluiken dicht. Wat zich daar in het huis afspeelde als het regende, was hem lange tijd een compleet raadsel. Tot hij begreep dat een rolluik het vensterglas van spatten vrijwaart, waardoor het langer glanst, minder gezeemd moet worden.

De kat huppelde zonder te vertragen de straat over.

Steegman en Renée bestonden niet, haar oortjes bleven naar voren gericht. De straat was een oppervlak dat men voor haar gemak, om haar van de ene tuin naar de andere te helpen, met beton geëffend had.

Aan Steegman ontsnapte een laatdunkend lachje.

Jaloers op een kat met drie poten.

Lodewijk nam het stapeltje post als een geschenk in ontvangst. Hij was in de wolken. De post moest de laatste zijn van de lange reeks zorgen die zo'n vijfdaagse vakantie met zich meebracht. Nu was de reis echt voorbij. Met de post in zijn handen was hij eindelijk veilig thuis.

De vrouw van Lodewijk beval wandelen in de Elzas van

harte aan. Vooral in de lente. Ze vertelde dat ze ieder jaar dezelfde gewaarwording heeft, dat ze de zuurstof in de lucht op haar tong kan proeven. Haar ene vriendin had het ook, maar Lodewijk dan weer helemaal niet. Ze deden dit al tweeëndertig jaar, vijf dagen de Elzas, met dezelfde bevriende koppels.

Hierop liet ze een stilte vallen en keek vreemd uit haar ooghoeken, aanhalerig. Het was een deftige vrouw, smaakvol gekleed, met een deftige naam die hij moeilijk onthield. Hij zei 'mevrouw', zoals hij ook, net als zij, aan 'Lodewijk' vasthield. Dit alles zorgde ervoor dat de vrouw hem bejegende als een beschaafde bondgenoot; hij zou haar blik beter begrijpen dan wie ook. Vroeg ze hem om vergeving voor deze absurde blijk van kleinburgerlijk doorzettingsvermogen? Of speelde ze haar verlegenheid uit om zijn goedkeuring te bekomen, begrip los te weken voor haar trots, die natuurlijk nergens op gestoeld was. Misschien zei ze: kijk, dit nu is het leven. Eraan ontsnappen is een illusie zo groot als de Elzas.

Terwijl ze haar aandacht op Renée richtte, vroeg hoeveel jaar ze was en met grote begeestering de som maakte van haar drie opgestoken vingertjes, bladerde Lodewijk door zijn post zonder iets te openen. Een plezier voor straks, als hij alleen was.

Zou de directrice het bericht in haar mailbox al geopend hebben? Een uurtje geleden had Steegman de e-mail verstuurd, waarin hij gewag maakte van 'nogal moeilijke tijden in de familie'. Of stond het bericht ergens geparkeerd op een server, in het digitale niemandsland, voorgoed buiten zijn bereik? 'Nogal moeilijke tijden in de familie.' Wat zou de directrice, met haar achterwerk leunend tegen het bureau van een collega, een kop koffie voor haar gezicht houdend, in deze cryptische formulering lezen?

Wat zou het bij hem oproepen?

Relatieproblemen, dat eerst, of een ernstige ziekte. Een zeer ernstige, dodelijke ziekte, pas recent bij een routineonderzoek aan het licht gekomen. Slecht nieuws, hoe dan ook, terwijl er helemaal niets aan de hand was. Geen vuiltje aan de lucht.

Het gevoel met vuur te spelen. Het gevoel iets over zich af te roepen, onheil, over zijn gezin, door zich tot dergelijke praktijken te wenden. Bestond er een grens, die men met gevaar voor eigen leven overschreed, een morele grens? Of beschikte hij met het relativerende 'nogal' over een geldig paspoort?

Lodewijk vroeg of ze konden aarden. Hoe lang ze nu al in het dorp woonden.

'Twee jaar. In juni.'

'Twee jaar? Is het al twee jaar? Hoor je dat? God, wat vliegt de tijd... Een groot verschil met de stad waarschijnlijk, ons dorp?'

Steegman legde uit dat ze vooral voor de heuvelachtige streek hadden gekozen, voor de rust, omdat hij zelf was opgegroeid op het platteland, in de polders. Met gevoel voor diplomatie bekende hij dat ze voor de streek en het huis hadden gekozen, vooral het huis en de tuin, én de prijs, en niet zozeer voor de charmes van dit dorp, die niet verder reikten dan de markt met de platanen.

27

'Ja, het huis is bijzonder. Twee onder één dak. Een bakkersgeslacht. Op geen cent gekeken, hoor. Een rijke familie. Een bakkerij die draait, in die jaren was dat, naar het schijnt, een echte goudmijn.'

Lodewijk had de post op de secretaire gelegd en leunde met beide handen op de hoge rug van een stoel aan de eettafel.

'Bijna drie generaties. Wisten jullie dat, twee jaar geleden, dat het huis van een bekende bakkersfamilie is geweest? Links, aan jullie kant, woonde de broer, rechts de zuster en hun moeder. En het gebrekkige kindje, natuurlijk...'

'Nee,' zei Steegman.

'Nee,' zei Lodewijk. 'Nee, dat dacht ik al.' Hij keek door de Franse terrasramen naar de achtertuin. 'Dat wist die vastgoedagent ook niet. Een snotneus met een dasje, hij hoorde het donderen in Keulen. Maar zijn baas moet het geweten hebben.'

'Ach,' viel zijn vrouw blijmoedig in. 'Het is allemaal zo lang geleden, daar kraait geen haan meer naar. Wat denk jij, mijn kind? Wil je een glaasje melk? Of iets anders? Appelsap? Meisjes van drie lusten zeker wel appelsap?'

In de achtertuin heerste een secuur verzorgde drukte. Heesters, bloemen en planten. Terracotta en pergola, geen hoekje onbenut. Het veelkantige gazon was in concentrische banen gemaaid. Het gras glansde.

'Nee, dank u, mevrouw. We moeten terug, naar mama. De volgende keer.'

De vrouw van Lodewijk hield Renées hand nog steeds

tussen de hare geklemd. Het meisje durfde zich niet te bevrijden. Het woord appelsap was niet tot haar doorgedrongen.

'Wat heb ik gezien?' vroeg Lodewijk ineens. 'In jullie tuin? Wat staat er in jullie tuin?'

'Mijn schommel,' zei Renée, met een sprongetje in haar stem.

'Een schommel, helemaal voor jou alleen?'

'Met een glijbaan.'

'Jij bent een bofkont, weet je dat? Speel je graag in de tuin?'

'Ja.'

'Een grote tuin is leuk. Maar voor papa is een grote tuin véél werk. Plezier voor de kinderen, werk voor de papa.'

Steegman had de voorbije twee jaar enkel gras gemaaid. Hij had niet de indruk dat er veel meer gedaan moest worden. Een parktuin. Was dit een flagrante terechtwijzing, of toch een pluim? Voor hij een repliek kon bedenken, liep Lodewijk naar de secretaire en schoof een vakje open.

'Spaar jij deze kaartjes? Smurfen. Op elk kaartje staat een smurf. Voor jou, omdat papa de post heeft bijgehouden.'

Naast Renée boog hij diep voorover en hield de kaartjes in een waaier. 'Kijk, deze hier, wie is dat?'

'Brilsmurf.'

'Nee. Schrijfsmurf, zoals je papa!' Hij knipoogde zonder hem aan te kijken, clownesk, de helft van gezicht en mond schrikbarend verkrampt. 'Grappig, die kaartjes. Je krijgt ze in de supermarkt bij de boodschappen.'

'Eerst links, dan rechts. En dan weer links.'

Het was muisstil op straat.

De rododendron bij het erkerraam was wellicht dood. De rozelaar naast het pad was een kluwen. Boven het nochtans hoge dak torende de berk uit, die op het einde van de achtertuin het zomerhuisje overschaduwde.

Een bakkersfamilie.

De buitenmuren waren opgetrokken uit kleine, zandgele glazuursteentjes; ze hadden nog niets van hun discrete glans verloren. Doordat de voordeuren aan de zijkanten zaten, zag je vanaf de straat niet meteen dat het om twee woningen ging. Het leek een ruimbemeten huis met een grote bel-etage boven een halfverzonken, dubbele garage.

Een huis voor een directrice.

Alleen de vitrage, links, en het verbleekte bordje met TE KOOP, rechts, deden anders vermoeden.

'Nogal moeilijke tijden in de familie.'

De zin is nu onuitwisbaar.

Als zijn werk ooit in de belangstelling mocht komen van een groot publiek, als ooit, tegen zijn uitdrukkelijke wens in, een biograaf zich na zijn dood zou verdiepen in zijn leven, zijn e-mailverkeer uitvlooien en op dit mysterieuze zinnetje botsen, dan zal deze er vast van overtuigd raken iets in handen te hebben. Hij zal denken iets op het spoor te zijn, iets van groot belang, waarover de auteur niets kwijt wilde, waarvan hij alleen met dit zinnetje heeft gerept: iets wat op zijn minst een hoofdstuk in zijn boek kan worden, misschien meer, misschien wel de kern van de biografie, waar de andere verhalen als satellieten rond cirkelen: dé bepalende gebeurtenis in het leven en werk van Emiel Steegman. Hij zal als een bezetene op zoek gaan.

Maar er was niets aan de hand.

3

Een bloedrijpe kers, de donkerste van het kleine zakje dat zijn moeder hem heeft meegegeven. Acht kersen. Veel is het niet, tegelijk is het een rijkdom. Het is iets om naar uit te kijken, iets in het verschiet. Acht gebeurtenissen.

Hij duwt de kers tussen zijn lippen, vlijt haar als een parel in het kuiltje van zijn tong. Hij zwaait zijn been over het fietszadel en zet zich af.

De woonwijk is leeg. De huizen zijn in zichzelf gekeerd. Hier en daar een auto, of een op een kier gekantelde garagepoort, verraadt de aanwezigheid van mensen. Zij die hem zien, hebben geen benul. Ze denken: die jongen van nummer 9 op zijn fiets. Een blonde jongen van dertien, denken ze. Een blauwe fiets. Sommigen zien het diepvrieszakje dat onder het rechterhandvat aan het stuur bungelt, maar het dringt niet tot hen door. Hij, Emiel, wordt wél gezien, dat staat vast. Bij een misdaad, bij een ondervraging zal iemand getuigen: de jongen van nummer 9, kort na de middag. Van de bloedrijpe kers in zijn mond hebben ze geen idee, daar, in de rode, uniforme huizen, de mensen.

Hij zuigt er nauwelijks op. Het stevige vlees nog onaangebroken in het strakke, gladde vliesje. Af en toe slikt hij speeksel door, dat geen smaak bevat. De straat waarin hij woont, loopt af, zijn voeten volgen het langzame wentelen van de pedalen, voelen hoe het tandwiel in de ketting bijt.

Voor het huis van Andy, twee straten verder, draait hij een paar rondjes. Andy's fiets ligt op het gras. Het dikke glasgordijn achter het grote raam hangt in volmaakte plooien. Ze hebben niet langer de gewoonte aan te bellen.

Boven het bietenveld zindert de lucht. Het loof ligt slap op de dikke koppen die uit de aarde steken. Het schapenstalletje achter het veld flakkert als een vlam. Hij parkeert zijn fiets met een pedaal op de hoge kantsteen van de weg in aanleg. Hij gaat zitten, bij het voorwiel, hij duwt de kers in zijn wang, zet druk, maar de vrucht houdt stand. Van dichtbij ziet hij de mieren in de zanddroge goot, het witte haar dat op zijn scheenbenen groeit.

Hij houdt de bocht in de gaten, waar het nieuwe gedeelte van de woonwijk aansluit bij het oude. Alle verkeer zal uiteindelijk door deze straat komen, alle bakstenen van alle huizen. De plattegrond is al helemaal in kantsteen uitgezet, midden in de mais- en bietenvelden en weilanden van boer Tuyt.

Zijn wang en tandvlees wennen aan de kers die hen scheidt. Ze is inmiddels een deel van zijn mond, dat niet meer zonder pijn verwijderd kan worden; hevig grimassend poetst hij de kers op met de rand van zijn t-shirt. Hij houdt haar als een hoogglanzende appel tussen duim en wijsvin-

33

ger en neemt voorzichtig een minuscuul hapje. Zodra zijn snijtanden de weerstand doorbreken, laait zijn mond op, en met zijn mond de straat, de wijk en de vakantie.

4

De fotograaf reed in een oude Volvo. Een bewuste, stijlgevoelige keuze, zonder twijfel, hij is een van de bekendste portretfotografen van het land. Met niet meer dan een schoudertas kwam hij het pad op lopen, zijn passen waren traag en onregelmatig, een man in overleg met zichzelf. Toen de bel ging, schrok Steegman alsnog. Vijf tellen stond hij stokstijf op het tapijt in de salon. Hij zag de verbrokkelde gedaante in het ijsglas van de smeedijzeren voordeur, hoorde hem de keel schrapen. Zodra zijn hak op de tegelvloer klakte, kon Steegman niet meer terug.

De uitgever raadde een auteursfoto op het achterplat ten zeerste aan. De mensen wilden bij een naam een gezicht zien. Zonder foto kon hij net zo goed dood zijn.

Hij had de grootste problemen met zijn afbeelding, de confrontatie was een beproeving. Het ging niet om zijn uiterlijk, het ging niet om mooi of lelijk. Hij was niet mooi, dat wist hij, maar hij dacht niet dat hij lelijk was, hij kon zich althans niet voorstellen dat Tereza op een lelijke man zou vallen, het 'lelijk' waar iedereen het vlug over eens raakt, nee, daar was ze te mooi voor. Hij kon zich niet voorstellen dat hij op een vrouw zou vallen bij wie zijn fysieke voorkomen geen enkele rol van betekenis speelde: zo'n vrouw, hoe mooi ook, zou niet in staat zijn hem op te winden. Hij onderkende de ijdelheid die uit zijn gedachten sprak, maar ook dat ijdelheid beslist niet voorbehouden was aan mooie mensen. Misschien viel Tereza op de ijdelheid die door haar liefde werd opgewekt en die het vermogen bezat om van een middelmatige man een aantrekkelijke minnaar te maken. Misschien, heel waarschijnlijk, was hij in die zin inwisselbaar. Maar zolang ze hem niet inwisselde, dacht hij niet dat hij lelijk was.

Ook de courante verzuchting dat mensen zichzelf niet herkenden op een foto of videofilm, dat hun beeld en zelfbeeld niet samenvielen, was hem vreemd. Hij herkende zichzelf altijd. Hij wist wie hij was, hij zag het aan zijn ogen, aan zijn haar en oren, zijn hoge voorhoofd, een combinatie met weinig of geen karakter, banaal. Liever herkende hij zichzelf niet. Hij wilde niet dat een foto onderstreepte wat al gedrukt stond. Een foto zou iets aan het licht moeten brengen, iets ontbloten, hem iets aanreiken wat zijn overtuiging ondergroef – het bewijs leveren van zijn ongelijk.

Ze dronken espresso in de salon; de fotograaf nam slurpende slokjes, herinnerde zich een reis naar Mexico, een tocht door de jungle, drieëntwintig dagen zonder koffie. Het was een knappe man met gitzwart haar en diepe ogen, die hem warmhartig tegemoetkwam. Hij vroeg naar het huis. Het verraste hem, dit, op het platteland. Het was complimenteus, zonder meer, toch zadelde het Steegman op met het onbehaaglijke gevoel zich te moeten verklaren. Hij was immers onbekend, met de royalty's van zijn boeken kon hij dit huis onmogelijk betalen. Het vermoeden dat hij op de rug van zijn vrouw leefde, of voortijdig de erfenis van zijn ouders opsoupeerde, hielp hij liever meteen de wereld uit. Een koopje, in één dag geregeld. 'Een bakkersfamilie,' herhaalde de fotograaf, terwijl hij, als op zoek naar sporen, nog eens goed rondkeek.

Steegman leunde tegen het raamkozijn, keerde zijn gezicht naar de zwaarbewolkte middag. De fotograaf zwoer bij natuurlijk licht. Hij gebruikte een oude Leica en filmrolletjes van Kodak met maar twaalf, grote negatieven. Nog nooit had hij in kleur gewerkt. Zijn foto's waren op een afstand te herkennen. Kale, gecomponeerde beelden die genadeloos het aardse en vergankelijke accentueerden, en daardoor ten slotte romantisch aandeden.

Steegman had voor de gelegenheid een wit overhemd en een smal, zwart stropdasje aangetrokken. De fotograaf vroeg ernaar, en Steegman vertelde over zijn hang naar de jaren van de klassieke typemachines en filterloze sigaretten, de femmes fatales en de maatpakken, de detectives en de existentiële romans. Hij toonde hem de spiegelzwarte Underwood Champion uit 1937, het favoriete model van Alfred Hitchcock. Toen de fotograaf zijn Leica naast de schrijfmachine legde om iets te tikken, was het of zij verbroederden.

Het duurde onmenselijk lang tot de fotograaf afdrukte.

Hij nam elke poging ernstig, wachtte tot het juiste beeld

aan hem verscheen, of het zijn laatste kans was. Dikwijls drukte hij niet af, keek even, zonder te spreken, over zijn Leica naar Steegman, en dook weer weg. Zijn aanwijzingen waren miniem. Steegman had het gevoel onderzocht te worden; hij hield zijn adem in, voelde zijn hart in zijn keel, wist zich geen raad met zijn mond die telkens verkrampte.

Hij dacht aan zijn Estse collega met de knobbel op de neus, die hij wellicht nooit zou ontmoeten. Hoe hun beider succes, waar ze nooit op zouden toosten tijdens een diner in een kasteel, als onbekende auteurs voor een deel kon afhangen van hun foto. De eerste kennismaking met potentiele lezers. Hoe lang zullen ze bij hun afbeelding stilstaan? Zullen ze de Est aardig vinden omdat hij zijn gebreken niet heeft verstopt? Zullen ze de mogelijkheid overwegen dat dit zijn béste kant is, dat de andere zijde er nog veel erger aan toe is? Dat hij dus net zo ijdel is als een man in een hagelwit overhemd met een zwart stropdasje? Zal iemand in de boekhandel, tussen duizenden andere boeken, duizenden flapteksten en net zo veel foto's, begrijpen waar Steegman met een knipoog naar verwees?

Aannemelijker was dat bij de korte kennismaking niet één bewuste gedachte kwam kijken. Dat het volstond, een succes was, als iets in het beeld de aandacht trok. Stropdasje of vleesknobbel, bontkraag of wipneus, het maakte niet uit, íets.

Steegman zag zijn reflectie in de lens. Hij vroeg de fotograaf of hij diep in de Leica moest kijken, naar de sluiter, of zijn blik moest scherpstellen op zijn reflectie vooraan. Als de ogen de spiegel zijn van de ziel, lachte hij, dan keek hij op zijn boek liever niet scheel.

In de vroege avond ontving hij een e-mail van de directrice. Hij zat in zijn bureau, een klein kamertje op de bovenverdieping, aan de voorkant van het huis. Hij zat in de stoel die met de vacht van het schaap was bekleed dat zijn ouders ooit met hun buren hadden gedeeld, en waarop hij al zijn boeken had geschreven. Hij keek naar de woorden op het beeldscherm en hoorde Lodewijk het gras maaien in zijn voortuin. En op een kenmerkende, zij het onnavolgbare manier nam hij het bericht van de directrice en de grasmaaier van Lodewijk mee in zijn droom, die de hele nacht leek te duren, een groot, vanzelfsprekend raadsel dat niet om een oplossing vroeg, alleen maar een gevoel was. De directrice in een oranjebruin mantelpakje, die hem gebiedt om het diner te vergeten en zich nu op de belangrijke zaken in zijn leven te concentreren, waarna Lodewijk zijn grasmaaier omkeert en op de verschillende mesbladen wijst, veel meer dan bij een gewone machine, die het gemaaide gras meteen versnipperen, waardoor het niet opgevangen hoeft te worden, maar als natuurlijke mest voor het gazon kan dienen. Gras als mest voor gras. Hoe de directrice en Lodewijk angstvallig hun rug naar zijn huis keren, en hoe hij wél kijkt, en ziet hoe iemand het glasgordijn in zijn bureau opzijschuift, niet Tereza, niet Renée, een onbekende man met zijn lichaamsbouw, met een gelijkaardige bril, maar met donker haar, die naar hem zwaait en iets zegt wat door het raam niet te horen is, praat als stond Steegman naast hem in het bureau, een lange vertelling.

Toen hij de volgende ochtend onder de douche stapte, zonder Tereza of Renée te hebben gesproken of zelfs maar begroet, toen hij zijn ogen weer sloot en het geraas over zich heen liet komen, herkende hij het uiterst zeldzame gevoel, wist hij dat er iets op til was, dat hij nu niets meer hoefde te doen, alleen maar ademen en in leven blijven, zuurstof naar zijn hersenen brengen, en wachten. Hij onderdrukte de geringste opwinding, concentreerde zich op het ruisen, stond stil. En hier, waar hij gisteren shampoo in zijn ogen kreeg en het zinnetje voor de directrice bedacht, op deze plek gebeurde het, als ging er een centrifuge draaien met de snelheid van de messen onder in Lodewijks grasmaaier, in de trommel stak alles wat de voorbije vierentwintig uur was gebeurd, alles wat hem bezielde, hij moest op zijn benen vertrouwen om hem overeind te houden, en plots viel één druppel van het extract, fris als menthol, potent als het ultieme, maagdelijke parfum van Jean-Baptiste Grenouille, in de ruimte achter zijn voorhoofd en veranderde alles: een idee. Een idee voor een nieuwe roman.

Een kwartier later kwam hij in beweging en greep naar de handdoek, die netjes aan het verchroomde rekje hing.

5

Op het eerste gezicht was het ontbijt vandaag niet anders dan gisteren: buiten, achter de grote ramen, het frisse blauw, binnen het witte tafellaken, het tikken van lepels op porselein en Honeypops die smakelijk werden fijngemalen in de halfopen mond van Renée, pal tegenover hem. In het hoofd van Steegman, echter, was het als nooit tevoren. Daar huisde het voornemen een roman te schrijven over een schrijver.

Hij was er de schrijver niet naar, maar voor één keer leek het hem wel toegestaan; schrijvers waren tenslotte ook mensen.

Uit zijn ooghoeken keek hij naar Tereza. Zij had in het verleden steeds de primeur gekregen, met niemand anders durfde hij voor het eerst over een nieuw boek te praten.

Het was te vroeg, besefte hij, veel te vroeg. Het idee was schematisch en abstract, en moest eerst met een paar scènes worden aangekleed, opdat een buitenstaander er iets in zou herkennen. Het zou als een steen op haar maag vallen. Het spontane enthousiasme zou uitblijven, en met vragen waarop hij het antwoord schuldig moest blijven, zou Tereza liefdevol proberen hem te volgen. Vragen die twijfel zouden zaaien, pertinente vragen, in staat om dit naakte staketsel geruisloos te slopen.

Een naam. Hij moest een naam bedenken voor zijn hoofdpersonage. Zonder naam bestond hij niet, kon hij zomaar verdwijnen, zonder een spoor na te laten. Hij moest hem registreren.

Het mocht geen gekunstelde naam zijn, geen naam die een diepere betekenis suggereerde. Geen woordspelingen. Geen verwijzingen naar personen die echt bestonden. Niets van dat alles.

In zijn vorige boeken had hij uitsluitend voornamen gebruikt, dat volstond. Mogelijk zou, om te beginnen, een letter volstaan. X vond hij flauw, Y ronduit belachelijk, Z Hollywood. Op het ogenblik dat Tereza zich in de koffie verslikte, hoorde hij klinkklaar in zijn hoofd: ik noem hem T.

Het was een gedachte zo helder als een stem.

Ik noem hem T, zonder punt; ik heb nog geen naam, dus kan ik die naam niet afkorten. T klinkt trouwens behoorlijk zelfstandig. K is beter, maar uitgesloten, te beladen. En de rest stelt weinig voor. Of moet ik U tegen hem zeggen? Ik noem hem voorlopig T. Dat is duidelijk en eenvoudig.

'Steek je armen in de lucht, mama!'

'Ik moet even boven iets opschrijven.'

Met tranen in de ogen van het krachtige hoesten keek Tereza hem verbaasd aan. Nu? Terwijl zij stikte?

'Handen omhoog, schat.'

In zijn bureau haalde hij de beschermhoes van de Olympia SG1, de Rolls Royce onder de schrijfmachines, gebouwd in 1959; 15 kilogram zwaar, voor 10 euro van de zoon van een oud-strijder gekocht, die er veertig jaar lang een periodiek op schreef. Een typemachine was als een leest of een aambeeld: het gaf hem het gevoel een ambacht te beheersen. Hij draaide er een maagdelijk blad papier in en tikte de hoofdletter T.

Hij zag hoe de horizontale streep aan weerszijden eindigde met een diep afhangend, verticaal stokje, en zo een dak vormde dat de letter helemaal afschermde van zijn omgeving. De letter stond zijn held op het lijf geschreven!

Steegman leunde glimlachend achterover in de schapenvacht.

Hij hamerde een paar T's op het papier.

Die dakranden zouden in zijn boek, gezet in een modern lettertype, allicht verdwijnen. Maar dan speelden ze geen rol meer. De lezer had er geen boodschap aan. Het was alleen belangrijk voor hem, de schrijver. Dat alles klopte. Bovendien zou T in zijn boek een echte naam krijgen.

Beneden stond Tereza met Renée op hem te wachten, klaar om te vertrekken. Tereza werkte in de hoofdstad. Human resources. Ze had glijdende uren, maar altijd bracht Steegman Renée naar het dorpsschooltje – hij werkte thuis. Tereza was heel goed met mensen, kreeg alles van iedereen gedaan, op een manier bovendien die haar geliefd maakte. Haar bevel als exclusieve aandacht.

Het was een talent dat Steegman totaal ontbeerde. Al was

zijn verzoek vriendelijk, nog was het zijn indruk dat mensen het gevoel kregen lastig te worden gevallen door een enge man. Veel, zo niet alles had te maken met gelaatstrekken, timbre en een onbestemde zachtheid in en om de ogen, spaarzaam en willekeurig door de natuur bedeeld. Niet uit gebrek aan deze kenmerken was hij begonnen te schrijven, een gelukkig toeval was het wel. Hij werkte alleen, thuis.

Voor velen was thuiswerken een benijdenswaardige 'luxe': een woord als een muilkorf, dat hem het zwijgen oplegde over zijn gedwongen huismanschap. Hij stopte vuile was in de machine en hing het wasgoed te drogen, laadde de vaatwasser in, harkte, zeemde, poetste, maaide, streek, liep snel nog even naar de bakker, naar de apotheker, de slager, zorgde voor Renée als ze ziek was, zorgde voor de kippen, zoog stof, ruimde op en laadde de vaatwasser uit. Tijdens de kantooruren. Daarna kookte hij avondeten. In vrouwenbladen heette hij een nieuwe man te zijn, een hemeltergende ironie: Steegman was ouderwets sedert zijn geboorte. Maar een ouderwetse vrouw, die hem toestond volop ouderwets te zijn in alle onderdelen van het gezinsleven, zou hem stierlijk vervelen. Een trotse gedachte die hij de hele dag door als een Zwitsers zakmes met zich meedroeg.

Steegman kuste Tereza ten afscheid en zwaaide, terwijl ze het tuinpad afdaalde, haar billen uit.

Hij zou T precies zo'n vrouw geven. In dat soort pantalon, zwart met een vouw, heupen en billen die teder door het textiel omvat worden, mooi hun vorm behouden en toch losjes kunnen bewegen onder het stappen. Ze draagt nooit jeans, dat wil T niet. Jeans zijn een harnas; voor bepaalde vrouwen is het uitermate praktisch – zoals de stank van luchtverfrisser praktisch is in een drukbezocht toilet. Uit werken gaat zijn vrouw niet. Ze leven nogal teruggetrokken. Hij zou T een bestseller moeten schenken, één boek in zijn oeuvre dat door de jaren heen is blijven verkopen, internationaal, steeds meer. Een verhaal dat telkens opnieuw jonge lezers aanspreekt, allegorisch maar toegankelijk, allerminst elitair. Bekroond met alle prijzen die ertoe doen, of juist niet, een algemeen erkende schande. Een boek als *Animal Farm* of *Lord of the Flies*. Een avontuurlijk verhaal met een ongekende diepgang, waarin iedereen zich kan herkennen, straatveger en minister, een passe-partout, oneindig actueel, doordat de menselijke aard centraal staat en het krantennieuws onvermeld blijft. Vanwege het succes van het boek hoeft T zich niets aan te trekken van de media. Het verschijnen van zijn boeken is een literair evenement, vooral omdat hij nauwelijks meer publiceert. Zijn laatste interview dateert van twintig jaar geleden – achttien: klinkt concreter. Toen is hij halverwege het gesprek opgestaan en verdwenen, midden in een antwoord, midden in een zin, die inmiddels uitentreuren ontleed is, en waaraan in elk artikel over zijn werk gerefereerd wordt. De journalist heeft het beroemde interview, geregistreerd op een TDK-cassettebandje, verkocht aan een letterkundig museum, of een belangrijke kunsthandelaar, of een excentrieke fan voor een belachelijk bedrag, misschien wel 80.000 euro. Hij week af. Eerst een titel voor die bestseller. Hij kwam straks met *De moordenaar*, dan heeft T, bijvoorbeeld, *De verdachte* geschreven, of *De bewaker*. Eén grapje was wel toegestaan, één knipoog. Wat peper en zout. Schrijvers moesten toch ook entertainen?

Steegman voelde gefriemel aan zijn hand. Half uit de voordeur hangend staarde hij naar een leeg tuinpad en voelde hoe Renée haar hand in de zijne wurmde. Het was niet dat ze hem subtiel liet blijken meteen te moeten vertrekken als ze niet te laat op school wilden komen. Haar besef van tijd beperkte zich tot 'nu' en 'nog één keer slapen', sprookjesachtig overzichtelijk. Nee, haar gebaar was zonder verplichtingen of dringende boodschap. Misschien vond ze dat hij wat troost kon gebruiken, omdat hij naar het tuinpad bleef kijken, waar net nog Tereza liep. Hij was niet alleen.

Haar hand gloeide van gezondheid; een nieuw handje, met helder bloed in fijne adertjes onder ongerepte huid.

Pas in de tuin liet ze hem los. Het uitgestrekte gazon had altijd hetzelfde effect op haar: rennen. Helemaal achteraan, verborgen tussen twee dikke coniferen, was een poortje dat toegang gaf tot een wandelpad dat naar de straat van het dorpsschooltje leidde. Toen ze in de stad woonden, schoof Steegman elke ochtend driekwartier aan op de ringweg om het kinderdagverblijf te bereiken, en een halfuur terug naar zijn bureau, waar hij, na tien minuten een parkeerplaats te hebben gezocht, een uur moest bekomen van de opgelopen moordzucht.

Hij trok de deur van de serre dicht en hoorde meteen de groenlingen, de pimpelmezen, het roodborstje, een heggemus, een zwartkopje, met daaronder de prachtige melancholie van een merel. Het was of hij in een warm, rustgevend bad stapte. Hoewel de tuin vooral het karakter van een park bezat, en minder de afmetingen, voelde Steegman zich de koning te rijk. Hij hield ervan hoe de oude, in het gras verzonken plavuizen, waarvan de structuur hem altijd aan de zandkoekjes van zijn oma deed denken, losjes naar de coniferen slingerden, en hoe Renée van de ene naar de andere sprong, als stak ze een wilde rivier over.

Ze droeg vandaag zijn favoriete outfit. Een nauwe jeans met witte rafels onder de knieën, verbleekt op dijen en billen, een beetje stoer, een meisje van zestien in miniatuur. Het rozige windjackje met kort, opstaand kraagje paste er verbluffend goed bij, vooral omdat de manchetten, niet voorzien van drukknopen, altijd los bleven. Witte gympen maakten het plaatje compleet. Renée was zich totaal onbewust van haar verschijning, of van de vertedering die ze bij haar vader teweegbracht.

Hier liep hij dan, op deze lentemorgen, in zijn eigen tuin, met zilverberk, magnolia en beuk, met liguster, wingerd en laurierkers, krulwilg, rietkraag en jasmijn. Niemand kon hem zien, hij was vrij van vreemde blikken. Hij was alleen met zijn eigen geluk, dat zich uit het ijle en onbevattelijke kristalliseerde in de huppelende gedaante voor hem. De glans in haar kastanjebruine haar – ja, kastanjebruin! De appelronde billetjes in haar jeans. Een uitgeslapen en gewassen en gekoesterd meisje, mooi, doltevreden, veilig, in dit kostbare moment, waarop hij, Emiel Steegman, ongehinderd en compleet Emiel Steegman was.

En toch zou een biograaf in dat ene boek dat pretendeert zijn leven te schetsen en door te dringen tot zijn diepste wezen, dit moment niet beschrijven. Geen biograaf zou hier ooit lopen en voelen wat hij nu voelde, of het zich kunnen verbeelden. Het was onmogelijk.

Renée wrikte met beide handen en al haar kracht aan de grendel van het smeedijzeren poortje, dat onherroepelijk door roest werd verteerd. Toen ze een stapje opzijzette, deed Steegman of het ook hem een meer dan behoorlijke inspanning kostte om de grendel te verschuiven. Hij waarschuwde eerst links en rechts te kijken voor eventuele fietsers; Renée rende blindelings het pad op.

Hij zou T niet alleen zijn vrouw maar ook zijn dochter moeten geven. Dit moment in zijn tuin. Hiermee zou het allemaal kunnen beginnen. Hier krijgt hij het inzicht dat zijn leven een wending geeft, het begin van de roman. Anders dan Steegman heeft T succes. Nooit ontvangt hij uitnodigingen om onbekende Estse schrijvers te onderhouden in een kasteeltje. Mocht dat het wel geval zijn, dan zou hij resoluut weigeren en niet, doordat hij – je weet maar nooit waar het goed voor is – altijd eerst ja zegt, zichzelf in een lastig parket brengen. Daarom hoeft hij niet onder de douche, met shampoo in zijn ogen, ineens een excuus te vinden, een eenvoudig zinnetje dat hem aan het denken zet en niet meer loslaat. Bovendien: shampoo die hem in de ogen prikt, een man van veertig? Het boek openen met dergelijke pietluttigheid zou zelfs de doorgewinterde lezer een diepe zucht ontlokken.

De wandeling van de serre naar het poortje tussen de twee coniferen: meer zou er in het eerste hoofdstuk niet gebeuren. Schrijver brengt zijn dochter naar de kleuterschool, de route loopt door zijn tuin, het is lente. Niettemin zou het hoofdstuk een mythische reikwijdte krijgen. Door de aan stilstand grenzende vertraging van de tijd, door de rijkdom aan doeltreffende details, de opzwepende verteltrant. Het zou voor een intensiteit zorgen verwant aan die waarmee de derde en laatste dag staat beschreven van Achabs gevecht met Moby Dick.

In gedachten sloot hij opnieuw de serredeur, draaide zich om naar de tuin. Waar te beginnen? De geur. Natuurlijk! Hij zou beginnen met de geur van het kleine brouwerijtje in het dorp, dat door de wind over zijn tuin werd gedreven. Wat was de naam alweer? De Rijckere? De Rijcke. Of was het De Rijck? Die typische geur, gist of mout, of wat was het? Warm en smakelijk, als van versgebakken brood. Een geur die je ontwapende als een moederlijke omhelzing. Wat het precies was, kon hij later opzoeken.

Wat nog meer?

Het sidderen van duizenden berkenblaadjes, bijvoorbeeld. Het zachte geklok van de kippen. Morgen zou hij met een notitieboekje de tuin doorlopen en inzoomen. De smalle schoudertjes van Renée, het kastanjebruine, het appelronde, hoe ze rent met nauwelijks bewegende armen, zoals Tereza, hij zou het allemaal opschrijven. Het geluk van T zou hij niet hoeven te benoemen, het zou blijken. De lezer zal zich ogenblikkelijk overgeven en met T vereenzelvigen. Hij zal zich welkom voelen, willen blijven. Hij zal in het proza willen wonen, zo lang mogelijk en op elk moment van de dag. Vooral wanneer T kort na het inzicht over zijn toekomstige biografie aan het einde van het hoofdstuk het poortje bereikt, het roest, hét symbool van de vergankelijkheid, een onheilspellende voorafbeelding van zijn verdrijving uit het paradijs.

Steegman schopte uitbundig een kiezeltje weg. Een roestig hekje. Zo snel had hij het nooit kunnen verzinnen! Het voelde als een goddelijke zegen over zijn nieuwe roman. Zijn idee was vruchtbaar, schoot meteen wortel in de werkelijkheid. Hij bedacht dat ook dit belangrijke moment, het ontstaan van het eerste hoofdstuk, door geen biograaf geboekstaafd zou worden.

Links, aan het einde van een van de lange, smalle tuintjes, of beter aan het begin, stond een vrouw hem aan te kijken. Aan haar voeten onderscheidde hij een wasmand, ze had haar handen op haar heupen gezet, een mooie, slanke vrouw, dat kon hij op wel honderd meter duidelijk zien. Hij zwaaide. De vrouw bleef onbeweeglijk staan. Alsof ook zij over zijn gedrag verbaasd was. Toen schreeuwde ze iets. Halfweg tussen tussen hen in kwam een hondje achter een laag hok vandaan, waarin konijnen moesten zitten.

In een houding die de grootste verveling uitdrukte, wachtte Renée haar vader op. Hoewel de school vlakbij was, hield ze zich aan de afspraak eenmaal het trottoir bereikt, te wachten.

Terwijl Steegman haar tegemoetliep, drong ten volle het

besef door dat hij voor het eerst zijn eigen leven als grondstof voor een boek zou gebruiken. Niet uit ijdelheid of gemakzucht, zoals het andere schrijvers soms overkwam, maar omdat het meer dan ooit toepasselijk was. Het succes van T vormde geen probleem; ettelijke jaren had Steegman zich verfijnd in het zich inbeelden van succes. Het probleem zat net in de andere hoek: hij was bepaald geen kenner van het leven van Emiel Steegman. Nooit voordien had hij zich tijdens het schrijven van een roman om zijn leven bekommerd. Het speelde geen enkele rol. Hij was een fictieschrijver, en die was gebaat bij een klare kijk op zijn verhaal, werd daarom beter niet bestookt door herinneringen, clusterbommen die ontploften zodra hij plaatsnam aan zijn bureau en uit het raam durfde te kijken.

Steegmans gebrek aan herinneringen was mogelijk zijn enige, echte talent. Hij had het in menig interview trots verkondigd, het was zijn antwoord op de onvermijdelijke vraag naar het autobiografische gehalte van zijn werk. Hij was vrij. Hij voelde zich licht als een kolibrie die van de ene kleurrijke bloemkelk naar de andere zoemt en stond godzijdank niet als een rund in zijn eigen uitwerpselen eindeloos te herkauwen achter schrikdraad. Hij creëerde, en omdat hij verzon wat het verhaal beliefde, waren zijn boeken gestroomlijnd en precies. De schrijver viel nergens te bespeuren, hij was onzichtbaar als Jean-Baptiste Grenouille in de legendarische bestseller *Het parfum*. Grenouille bezit geen eigen geur en steelt die van anderen om gezien en geliefd te worden, zoals Steegman het leven van zijn personages.

Waarom hij zo weinig herinneringen had, wist hij niet. Maakte hij ze moeilijk aan, of was hij vergeetachtig? Lui misschien, of onverschillig? Of zaten de herinneringen ergens gevangen, met duizenden opgehoopt, en slaagde maar af en toe eentje erin te ontsnappen? Zou de wetenschap, was hij vijftig jaar later geboren, de fout in zijn hersenen kunnen aanwijzen, een lokaal akkefietje tussen een handvol neuronen, verantwoordelijk voor zijn literaire eigenaardigheid?

Renée had gezien dat haar juf klaar-over was, ze huppelde van ongeduld. Hij greep haar uitgestoken hand.

Nee, dacht hij. Niet uit onverschilligheid.

Onlangs had hij op YouTube Johnny Cash in een interview van vijftien, twintig jaar geleden honderduit herinneringen zien ophalen aan diens schooltijd, die toen al langer voorbij was dan Steegman had geleefd. Namen en toenamen. Na even de ogen te hebben gesloten, rees bij hem maar één luchtbel uit de diepte van het moeras. Hij is zestien. Humaniora, wiskunde. De grauwe jaren tachtig, vormeloze truien, bestorven vernis op oude schoolbanken. Tijdens de pauze, suf van verveling, schuilen ze met z'n vieren voor de motregen. Bij de hangende fietsen, één hoog, één laag, haalt Karel een intens groene appel tevoorschijn, waarin zijn hele gebit verdwijnt. De eerste keer is het gewoon hilarisch: de slag uit het niets, de appel die de lucht in vliegt, het grabbelen van Karel – een beweging als struikelen, zonder hoop, inleiding op het onafwendbare. Als het wat later opnieuw gebeurt, is het geen lachen meer, maar zoeken naar adem, voorover-

gebogen, buiken omklemd, de grauwigheid verdwenen; on-
nozele hysterie. En dan is het voorbij. Als Steegman slaat,
voelt hij het al bij het vertrek van de appel tussen Karels
vingers. Afkeuring. Niemand vindt het nog grappig. De appel tolt door de lucht zonder dat Karel ernaar kijkt of grijpt,
de mooie appel, straks helemaal beurs en vuil. Hij zou hem
zelf willen vangen, maar dat kan niet. Hij kan zijn fout niet
rechtzetten, hij kan de klok niet terugdraaien. Hij wil zich
verontschuldigen, maar ook dat kan niet, want nu moet
hij Karel in een houdgreep nemen omdat hij aangevlogen
wordt. Hem op de knieën dwingen, pijn doen, vernederen,
terwijl hij weet dat het weken zal duren voordat het hechte
vriendenkliekje weer hetzelfde is.

Steegman herinnerde zich de herinnering al eerder te
hebben opgehaald. Alleen deze. Zes jaar humaniora herleid
tot één verkeerde inschatting.

Andere mensen waren vast en zeker beter in herinneren.
Hij leefde intussen veertig jaar; in hoeveel herinneringen
van anderen zou hij wel geen rol spelen? Hoeveel indrukken had hij niet achtergelaten, waarvan hij misschien wel
het bestaan kon vermoeden, maar niet wat ze precies in-
hielden of door wie ze werden bewaard...

Renée riep naar de juf, ze hoorde haar niet, stond met
gespreide armen in het midden van de weg, haar rug naar
hen toe gekeerd. Ze had een fluorescerend hesje om, ze
droeg een lichtblauwe jeans. Vijftien meter scheidde hen.
Het kwam Steegman voor of hij net was ontwaakt op een
hagelblank strand, door de woeste branding uitgespuwd op

53

het afgelegen eiland dat zijn eigen leven was. Met stijgende spanning liep hij het avontuur tegemoet, dat over enkele seconden zou beginnen in de ogen van de juf, waar hij een glimp zou opvangen van de vader van Renée.

6

ndy komt aangefietst, hij staat recht op de pedalen, zijn zadel zwiept heen en weer. Net voor
Emiel knijpt hij de remmen dicht, het uitslaande achter-
wiel werpt zand en stof op.

Een enorme vrachtwagen, vertelt hij. Voor zijn huis geparkeerd, met draaiende motor. De man in de cabine praat
in een microfoon aan een kruldraad met andere mannen.
Een zender, hij praat in een zender, want op het dak staat
een lange antenne. Andy vertelt dat hij het kon horen, het
raampje stond open. Een oranje vrachtwagen, maar wel
erg vuil, vooral achteraan, zoals het gat van een kip of een
schaap, besmeurd met zwarte troep. En het stinkt. Je kunt
bijna niet ademen van de stank. Andy vraagt wat Emiel
eet. Eet hij kersen? De kersen aan de boom van zijn grootmoeder worden nooit echt helemaal rood, of zacht. Of zoet.
Heeft zijn moeder die kersen gekocht?

Ze fietsen naast elkaar, Emiel een half wiel voor. Jürgen
staat er al, Petra ook. De elleboog van de chauffeur steekt
uit het raampje, hij praat in de microfoon, luistert naar de
ruis en de krakende stemmen, strekt zijn arm en tikt de as

van zijn sigaret. Hij vindt het normaal dat kinderen samen-troepen bij zijn vrachtwagen. Hij moet lachen als Jürgen tijdens de ruis 'Amerika?' roept. Hij steekt zijn hoofd uit het raampje, wel een verdieping hoog, en zegt: 'Overvelde.' Overvelde, deelgemeente van Zingene. Andy slaakt een kreet van opwinding: hij trekt voorzichtig aan verdroogde huid die loslaat op zijn zonverbrande bovenbeen, maar het vlies loopt snel toe in een punt en breekt af. Hij moet meer geduld hebben, zegt Petra. Met haar vingernagels plukt ze velletjes van zijn schouder. Jürgen vraagt of ze hem kunnen horen, in Amerika. Of is zijn antenne te kort?

Jürgen en Petra zijn twaalf, zaten tot voor de zomer bij elkaar in de klas. Andy is de jongste, hij is bijna elf, een gespierd jongetje met korte benen en witblond haar, en grove gelaatstrekken waarin al de lelijke, volwassen man doorschemert. Een vinnig baasje. Als hij rent, rent hij altijd zo hard hij kan, hoge kin, hoge vuisten, tot hij, uitgeput, zich voor dood op de grond laat vallen. Na Emiels belofte te zullen zwijgen, nadat hij een kruis over zijn hart heeft ge-maakt, nadat hij tussen zijn wijs- en middelvinger heeft ge-spuwd, beweert Petra dat haar moeder van Andy's moeder te horen kreeg dat hij 's nachts nog met een lichtje slaapt. Soms een ongelukje heeft.

Na die mededeling verzinken ze in gedachten. Ze zitten naast elkaar, het is kort voor de zomervakantie, een zater-dag, laat in de middag. Straks moet hij naar huis, naar de mis met zijn moeder. Petra weet wat ze bedoelt met het on-gelukje van Andy. Hij weet het ook, bijna, de uitdrukking is hem niet vreemd, het licht, het ongelukje, het verband; hij kan zich niet concentreren. Alweer dringend aan de orde: de stilte, die erg nabij is in het kleine kamp dat Petra in haar eentje heeft gemaakt. De grond is koud, de hitte is nog niet in het maisveld doorgedrongen. Ver voor zich uit, in een spoor tussen de stengels, ziet hij het felle licht dat opspat van het witte zand. Links en rechts alleen maar stengels, een afgelegen deel van het veld, een eind uit de buurt van het grote kamp. Hij is te gast, ze zijn naar een van de laatste straatjes van de nieuwe wijk gereden, Petra verstopte haar fiets in de mais en vroeg hem om hetzelfde te doen. Ze wou haar plek geheim houden voor de anderen. Misschien vindt ze het niet erg dat hij zwijgzaam is, toch verdient ze dat hij praat. Hij haalt zich het grote kamp voor de geest, hoe gemakkelijk het daar gaat, in het bijzijn van de anderen, praten met haar over dit en dat. Misschien heeft ze al spijt. Misschien denkt ze: hij heeft hier niet om gevraagd. Of: mijn neus is te groot.

'Jürgen is verliefd op mij.' Ze zucht diep. Ze slaat haar armen om haar opgetrokken knieën, haar haar verbergt haar gezicht.

Hij vindt dat ze een mooie neus heeft. Dat hij groot is, speelt geen rol van betekenis. Het gaat niet om haar neus. Maar dat kan hij niet zeggen, want dan denkt ze het tegendeel.

Met een steentje tekent ze witte krassen in de bruine, gestrekte wreef van haar rechtervoet. De huid op haar arm verkrimpt, de haartjes komen overeind. De langste beroeren de krulharen op zijn been.

Ze heeft een prachtige neus.

7

Op het schort van Arlette, de overbuurvrouw, rankten getekende bloemen, die hij niet kon thuisbrengen. Hij had alle tijd om ernaar te kijken. Voluptueuze kelken met dramatische bloembladen en uit de kluiten gewassen meeldraden. Allicht een vrije impressie. Het schort hing aan een enkel plastic haakje, voor de rest was de enige muur in de serre witgeverfd en leeg. In zijn roman zou Arlette elke dag de bloemen dragen, ook als er bezoek was, of onder haar jas in de supermarkt.

Ze was nergens te bekennen, ze moest op de bovenverdieping met iets bezig zijn wat ze niet kon laten vallen. François had al twee keer haar naam geroepen in de trapgang, en zonder antwoord af te wachten, want zijn vrouw was thuis, dat wist hij zeker, de deur weer dichtgedaan en zich naar het bezoek in de serre gehaast. 'Ze komt.'

De man was voor in de zeventig en hoorde bij het straatbeeld zoals Lodewijk dat deed. Zodra het weer het toeliet, leefde hij buiten, in de omgeving van het huis. Zijn vrouw daarentegen verliet de woning, bij Steegmans weten, nooit. Anders dan Lodewijk was François geen bezielde tuinier.

Hij leek er het geduld niet voor te hebben. Hij tuinierde niet, hij wérkte in de tuin. Of anders was hij in de weer met een hamer of een boormachine, of besteeg hij de ladder nog eens en zwaaide hij balancerend in de dakgoot of schrijlings op de nok gezeten gedag. Wanneer er niets meer te klussen viel, ook niet bij de overbuurvrouw, een weduwe, vouwde hij de tuinstoel open voor de garage, die in de tuin stond, en ging met de ledematen wijd, de voeten bloot en de ogen devoot gesloten de zon aanbidden.

Zo kwam het dat hij vroeg in de lente in een groen Adidasbroekje uit de jaren zeventig en een paar teenslippers, gebronsd als een Spanjaard, in de beschaduwde serre zat, waar het volgens de digitale kleefthermometer op het oude buitenraam van het huis 15,8 graden Celsius was, met een luchtvochtigheidsgraad van 78 procent. Waar Steegman ook keek, de verharde, maar vooral langwerpige tepels die bij elke beweging van François als lusteloze slurfjes aan zijn stoere borst bengelden, kreeg hij niet uit zijn hoofd. Hij hield zich klaar om Renée ogenblikkelijk af te leiden, voor ze iets in de gaten kreeg en vragen kon stellen.

In de serre was namelijk niets te beleven. Een doorgezakt, lederen bankstel en een empirebuffetkast met drie vetplanten op schoteltjes. De thermometer, of was het een weerstation, en het schort aan het haakje. Aan de omvang van de boom bij de buren te meten, was de schaduw in de serre permanent.

Steegman kwam met Renée terug van het speeltuintje bij het verhoogde kruispunt onder aan de straat, toen ze als het ware op François waren gebotst. Zijn begroeting was altijd buitengewoon hartelijk. Net zoals bij hun eerste kennismaking nam hij het gezicht van Renée tussen zijn handen en bekeek haar met een stille glimlach. Die eerste keer dacht Steegman: hij gaat haar kussen. François was op zijn hurken gezakt, zijn linkerduim streek over haar wenkbrauw. Áls hij haar kust, dan op haar voorhoofd, op haar wang, laat hem mijn dochter niet op haar mond kussen. Hij stond machteloos toe te kijken, de man deed niets verkeerd, toonde op dit ogenblik alleen maar een warm hart. De tijd dikte in, taai als karamel, hij peilde het gezicht van deze François, een man die hij nooit eerder had gezien, of het leven van Renée én het zijne ervan afhingen, elke rimpel, de spanning in de neusvleugels, de weerspiegeling op het verglaasde oogwit (een dak aan de overkant van de straat, tegen de heldere hemel), om maar niet de aankondiging te missen van een verandering ten kwade. Als hij haar op de mond durft te kussen, dacht Steegman, duw ik hem omver en schop hem ter plekke een hersenschudding. Hij dacht: blijf met je klauwen van mijn dochter, oude klootzak, en voelde zijn eigen glimlach verstenen op zijn gezicht. Hij zag dit tafereel op een afstand: er leek niets aan de hand. Hij vervloekte zichzelf, hij had meteen moeten ingrijpen, altijd een mak schaap, altijd de kroongetuige van zijn lot, schuldig aan verzuim. Nog één beweging, nam hij zich voor, en tegelijk het visioen van de angst en ontreddering in de ogen van zijn dochter, nadat haar papa was uitgeraasd en de lieve man die haar een kusje had gegeven, levenloos uit zijn neus en mond lag te bloeden op zijn volmaakt bestrate oprijlaan.

Toen zei François wat hij ook deze middag had gezegd, wat hij altijd zei: 'Kom toch binnen. Dan kan Arlette eens goedendag zeggen.'

Steegman had vandaag zijn voorstel niet resoluut afgewezen, strategisch geaarzeld, voor François aanmoediging te over om zonder omhaal Renée naar de achterzijde van het huis te leiden, naar de serre, met kleine pasjes, wat door de knieën gezakt, voorovergebogen haar handje vasthoudend als was zij van porselein.

De koffie was doorgelopen. François overhandigde hem een kopje en vroeg of hij suiker nam. Uit het zakje van de Adidasshort haalde hij een klontje, verpakt in beduimeld en versleten papier. Paarden, verklaarde hij. Steeds had hij een klontje bij zich voor de paarden, als hij door het weiland ging wandelen. Nee, antwoordde Steegman. Geen suiker. Zwart.

François hield het klontje nu als een goochelaar tussen zijn vingers, of hij het net uit het niets tevoorschijn had getoverd, voor de neus van Renée. 'Voor een keer mag het wel van jouw papa.' Hij scheurde het papier, hoekjes en kantjes brokkelden af. Renée keek van het grijze steentje in haar handpalm vragend naar haar vader, toen door de ingewanden van het huis plotseling een massa water stroomde. Het stortte neer, in een vlaag. Het geluid reisde verder, haastte zich weg. Toen klonken voetstappen, heel dichtbij al.

Eerst zag hij haar arm die gestrekt uit de deuropening

van de keuken naar de schort reikte, en in één beweging door stapte Arlette de serre in, had ze de schort aan haar nek hangen en strikte ze het lint om haar middel, voor ze een blik op de gasten had geworpen.

De vrouw zag eruit als het merendeel van haar leeftijdgenoten. Kapsel, bril, schoenen, lichaamsbouw; als Aziaten nauwelijks van elkaar te onderscheiden. Soms werden ze in groep op hetzelfde soort fiets door het landschap gegidst.

'Ik zeg tegen Emiel, ik zeg, kom toch eens binnen met Renée. Goedendag zeggen aan Arlette. Het is al zo lang.'

Steegman groette haar, stelde zich voor als een overbuur, maar kreeg geen antwoord. Arlette bracht zodra ze haar ogen op Renée richtte, een hand voor haar mond. De andere legde ze op haar borst. Door haar mond open te houden gleed de bril naar het topje van haar neus.

'Arlette,' zei François.

'Wat een prachtig kind, meneer,' zei ze ten slotte. Het was net geen fluisteren.

'Dank u. Zeg maar Emiel.'

Arlette schuifelde met geopende armen naar Renée. Het leek of ze een uitgebroken kip wilde vangen. Renée maakte een geluidje en kroop tegen haar vader aan.

'Maar kindje,' zei François. 'Je hoeft toch niet bang te zijn voor Arlette. Arlette is zo lief voor kinderen, wist je dat?' Hij aaide Renée over de bol. 'Arlette wil gewoon voelen hoe zacht je haar is en hoe zacht je wangetjes zijn. Dat is alles, hoor. Grote mensen voelen dat graag. Arlette zal je heus geen pijn doen, ze is erg lief voor kinderen. Ze heeft nog nooit een kindje pijn gedaan.'

Arlette bleef staan op de afstand die ze met het schuife-len genaderd was. Ze zette haar handen op de dijen en leun-de voorover. 'Het is normaal,' zei ze, 'dat Renée een beetje bang is. Zwijg nu maar. Je maakt het alleen maar erger.'

'Ze is niet bang,' zei François. 'Ze is niet bang van jou, Arlette, ze kent je niet: dat is iets anders. Ze is onwennig. Waarom zouden kinderen bang zijn van jou? Je bent een vrouw als een andere. Je zou haar oma kunnen zijn.'

Het woord 'oma' had een vreemd effect op de vrouw. Haar lach zakte in, haar ogen liepen leeg, tot ze uiteindelijk staarden, naar Renée.

'Weet je, Renée,' zei François. 'Arlette heeft een tijdje op een kindje gepast, en dat kindje noemde haar "oma Arlet-te", alsof zij echt haar oma was. Arlette weet dus alles van kindjes als jij, ze heeft veel ervaring. Ze is heel lief. Je hoeft niet bang te zijn.'

Na een korte stilte waarin niemand bewoog, richtte Fran-çois het woord tot Steegman, gedempt, een terzijde van man tot man. 'Met de technieken van vandaag zou het allemaal anders zijn geweest. Dan zou het wél gelukt zijn, de gynae-coloog heeft het gezegd. Nu is alles anders, zei hij. Nu kan het onmogelijke: zíjn woorden. Wij hadden het onmogelijke niet nodig, maar goed, toen was bijna niets mogelijk.' Hij aaide Renée weer over de bol, streelde dan haar wang met de buitenkant van zijn hand. 'En jullie zijn echt geen fami-lie?'

'Familie?'

'Wiet zei dat jullie geen familie waren. Van de bakker.'

'Van de vorige eigenaars? Nee, geen familie.'

'Nee,' zei François. 'Opmerkelijk is dat.'

'Nee,' zei Steegman. 'Wat Lodewijk ons heeft verteld, was het eerste wat we ervan hoorden.'

'Twee druppels water.' François liet zich in de fauteuil zakken en wendde zich af van Renée. Tussen zijn huis en dat van de buren kon hij door de zijwand van de serre Steegmans huis bekijken. Altijd zat hij in deze fauteuil; de afstand was groot genoeg om elkaar niet te hoeven groeten als Steegman toevallig door het raam keek en François in de serre zag zitten, het gezicht in zijn richting.

'Weet je wat het ergste is? Ze hebben kleine Vicky nooit teruggevonden. Arm kind.'

'Wie is Vicky?' Steegman merkte dat hij te hard zijn hand door het haar van Renée haalde.

'Warme chocomelk. Arlette heeft er emmers gemaakt. Met echte chocolade. En wafels, menslief. Lang geleden, Emiel, maar nooit voorbij. Dat zei mijn tante als ze aan haar kindertijd terugdacht, in de oorlog van '14-'18. Lang geleden, maar nooit voorbij.'

'Mijn tante,' zei Arlette. 'Julia.'

'De eerste keer dat ik Renéetje zag, ik viel bijna om.' Hij haalde diep adem en nam zijn vrouw op. 'Tweeëntwintig. Hoe oud zou Vicky nu zijn?'

'Tweeëntwintig,' zei Arlette.

8

T zit in de tuin. Of hij zit in zijn werkkamer, dag-
droomt in het golvende waas van het glasgordijn.
Misschien ligt hij naast zijn dochtertje in haar groot hemelbed. Zo wordt het genoemd, een hemelbed, een tweeper-
soonsbed onder een klamboe, ze is bang, monsters en spoken, maar vooral dieven, die alles wat haar dierbaar is zullen
meenemen, om te beginnen Beer, haar knuffel sinds haar
geboorte, een slappe, bruine vod met twee ronde oren, la-
coniek uit zijn bekraste ogen kijkend, natuurlijk ook mama
en papa, maar het eerste waar de dieven mee aan de haal
gaan, dat waar zij het grootste belang in stellen, is Beer, een
ondraaglijke gedachte die haar aanvankelijk nog stil deed
huilen, een huilen dat vanzelf kan ophouden, maar dat vanavond snikken werd, en uitmondde in luidkeels geroep om
dit keer papa, paniekerig, papa die mogelijk al gestolen was.
In zijn hand voelt hij haar bewustzijn wegzakken, hij voelt
hoe de hersenen kleine, ongecontroleerde signalen naar de
spieren in haar onderarm sturen, die de pezen naar haar
vingers bespelen. Hij blijft liggen, nog even, alleen met zijn
gedachten in deze luwte, in de intieme, rode gloed van de

paddenstoellamp met uitgespaarde stippen die sterretjes op het plafond en roze behang strooien. In dit sprookje overweegt hij opnieuw het zinnetje dat hij onlangs heeft gelezen in de biografie van de befaamde thrillerauteur Patricia Highsmith. Een zin in de inleiding van het boek, uit een brief aan een vriend. 'I do NOT mean to sound as important as Winston Churchill, but am absolutely sure someone will wish to "write something" when I'm dead.'

T staat in de tuin. De wind heeft de zinken emmer omgestoten, een kat misschien, eronder is het gras dood. Een plekje waar Renée nooit komt; waarom de emmer telkens opnieuw wegzetten? Altijd op de eerste dag van een nieuwe maand, en dat sedert dertien jaar, nadat hij midden in een interview, midden in een zin is weggelopen. Een plekje buiten het bereik van de aandachtigste buur, die 's avonds aan tafel die vreemde brandlucht beschrijft, kalender in de aanslag, zijn vrouw knikt en vraagt of hij nog saus wil. De donkerbruine drab is over de rand gelopen, verdwenen in het gazon, mest. Wat hij verbrandt, is steeds minder geworden. Correspondentie voert hij nauwelijks nog. Eén echte vriend die hem plechtig heeft beloofd hetzelfde te zullen doen. Hij vertrouwt hem, hij wil bereid zijn hem te vertrouwen. Notities, kladversies, langer dan een maand houdt hij ze niet bij. Na een maand moeten ze in duurzaam proza zijn omgezet. Hij neemt zijn tijd, hij zit op een klapstoeltje, pas als het vel helemaal door het vuur is verteerd, steekt hij het volgende aan. Soms wolkt de scherpe rook hem in het gelaat, hij

ademt in, laaft zich, probeert de talloze pijnlijke voorbeel-
den te vergeten die hem in de loop der jaren gelijk hebben
gegeven. Een groot schrijver van wie na zijn dood een verzameling steekkaarten met fragmenten als een roman wordt
gepresenteerd, met een promotioneel tumult dat het echte
werk in de schaduw stelt, beledigt. Wilsbeschikkingen die
nadrukkelijk, in het hoger literair belang, door gretige uitgevers en gulzige erfgenamen met voeten worden getreden.
Een brievenboek dat onbeschaamd de titel 'Verscheur deze
brief!' krijgt, mét uitroepteken – een citaat. T laaft zich
aan de geur van de rook als rookte hij een sigaret. Maar
in zijn gesloten ogen blijft hij zien hoe dichte drommen de
coulissen bestormen, blind voor het zorgvuldig uitgelichte
schouwspel op het toneel.

Het is geen dertien maar negen jaar geleden. Het zomert in
de stad, de deur van het koffiehuis staat open. T wordt her-
kend, hoort het gefluister van beschaafde mensen die opzich-
tig hun best doen om hem over het hoofd te zien. Hij is niet
met de journalist bevriend, het is een oude bekende, welwil-
lend vanaf zijn debuut, zonder amechtig aan zijn voeten te
vallen. Hij vindt het onkies om de man te laten aansluiten in
de lobby van een chic hotel, tussen alle andere journalisten.
Een gemoedelijk koffiehuis, een zomermiddag. In de deuropening ziet hij de voorbijlopende vrouwen ten voeten uit,
de lichte jurkjes die om de lange, gladde benen wervelen,
de glans op ronde schouders. Af en toe zweemt een deli-
cate bloemetjeslucht naar binnen en verdrijft de bitterheid

van koffie. Hij voelt een pijnscheut, het gemis niet een van hen te zijn; zich onbekommerd bewonderd weten. Hij hoort zichzelf praten, gewichtig door de registratie, een schakelketting van woorden die zijn weerloze roman vastketent, beperkt. Het daagt hem dat wat hij zegt stilaan belangrijker is dan wat hij heeft geschreven. Zodra het denkbeeld in hem postvat dat hij vrij is om op te staan en het koffiehuis te verlaten, een misdaad is het niet, schrapen de stoelpoten over de stenen vloer en verdwijnt hij door de open deur de stad in. Wat nadien gebeurt zal T verbazen; het zal hem verbazen, maar ook op een bepaalde manier bevestigen, het bericht dat deze journalist het cassettebandje heeft verpatst. Een jaarloon voor een halve zin. Een kind of kleinkind in nood. Een onredelijke vrouw. Ongeluk, ziekte. Een karamelkleurige Porsche uit 1974. Na de verbazing en de bevestiging, een waanzinnige lach. Een onafgemaakte zin wordt allicht zijn beroemdste, een grafschrift, dat hij afwezig, al buiten in het zonlicht, uitspreekt, zeven woorden zonder betekenis. Gevolgd door nog vier minuten met geluiden uit het koffiehuis. De journalist, zo leest hij later, denkt dat T op straat iemand herkent, even gedag gaat zeggen, om dan snel terug te komen, plaats te nemen en verder te praten; vier minuten en elf seconden later denkt hij anders en stopt de opname. Onwetend over het ongeluk van zijn ongeboren kleinzoon. Onaangeroerd door de obsessie met klassieke sportwagens.

T zit op een teakhouten tuinbank. In de kelder. Het huis van T is helemaal onderkelderd, een extra verdieping met

garage en kamers. In een van die kamers staat de tuinbank, die na een winter van jaren geleden niet meer boven is geraakt. De tuin heeft aan banken geen gebrek. In
deze kamer worden kleren gewassen, in de trommel klotst
een schuimend sopje. Boven zijn hoofd is een draad gespannen, zomerjurkjes van zijn dochter, roerloos. Hij zit naast
leidingen, geïsoleerde leidingen, een zacht suizen wijst op
activiteit. Hij ziet koppelingen, hij ziet kraantjes, hij denkt
aan zware industrie met schoorstenen, aan opslagplaatsen
met vorkheftrucks, groothandels met gerafelde vlaggen, hij
denkt aan een bestelwagen met opschrift, de loodgieter in
blauwe overall; hij denkt eraan hoe dit alles samenkomt in
dit hoekje onder de grond, een brandpunt, zijn hoekje, waar
hij zich terugtrekt, een flesje bier drinkt, sport beluistert,
zich geborgen voelt. Waar hij aan de wereld meent te ontsnappen.

Tegenover hem, in de betonnen schappen die niet met wijn-
flessen zijn gevuld, kartonnen dozen met presentexempla-
ren van de vertalingen en herdrukken van zijn werk. Alles
wat hij publiek heeft gemaakt, de wereld in heeft gestuurd.
Maar als hij morgen sterft, zal het niet genoeg zijn. Zodra
zijn leven ophoudt, zal naar geen ander verhaal gretiger worden uitgekeken dan naar dat van zijn leven. In een tijd waar
het hoogste goed de openbaring is, waar men hunkert naar
het gelijk van de onbekende aan de andere kant van het me-
dium, is zijn onverstoorbare stilte exotisch geworden. Zijn
biografie zal worden aangekondigd als 'onthullend', 'belang-

wekkend', het verkoopsucces gegarandeerd, een verhaal dat door de literaire buitenwacht, de bibliotheek en de boekhandel kunstmatig zal worden toegevoegd aan zijn oeuvre, een sleutel, dé verklaring, het eerste en op den duur enige boek waar men naar grijpt als men aan T denkt, het enige in de rij waar hij buiten het begin en het einde, zijn geboorte- en sterfdatum, niets mee te maken heeft. Alles daartussen, alles wat hij aandachtig heeft gewist, verzwegen en verbrand, iemand zal het net zo vastberaden allemaal weer invullen, naar eigen believen, met een gezag of hij er zelf bij was.

T is vijfenveertig jaar. Hij heeft een dochter, ze heet Renée. Ze slaapt. In het rode licht van haar nachtlampje staart hij naar de sterretjes op het plafond. Zijn hoofd rust op zijn arm, zijn benen zijn bij de enkels over elkaar geslagen, af en toe bewegen haar pink en ringvinger in zijn hand. Hij hoort niets. Geen verre hond, geen auto. Niets. Hij doet zijn uiterste best, maar hij blijft steken bij zijn vijfde verjaardag, ergens op het platteland, varkensstallen op de achtergrond, de stank van gier, wild gras in een onbegrensde tuin, en hij op een plastic tractor, een gele tractor met rode wielen en een rood zadel en een rood stuur, een geschenk. Allicht herinnert hij zich de foto. Hij heeft zich ingeleefd in de verzadigde kleuren van de polaroid, een langzaam en onbewust proces, niet meer te onderscheiden van het echte herinneren.

T heeft een dochter, Renée, ze is bijna vier jaar. Als hij morgen sterft, zal ze nauwelijks een herinnering aan haar vader bewaren. Ze zal zich inleven in het verhaal dat men van hem heeft gemaakt.

9

In de doe-het-zelfzaak kocht Steegman een spade en een schop. Bij de kassa schoof hij aan tussen geblokte mannen in werkplunje. Ze roken eerlijk, naar steen of hout, door tabak versterkt, of aandoenlijk naar iets stoers uit een supermarktflesje. Ze betaalden een voor een met bankbiljetten, op waarde gerangschikt in een bolle portefeuille die ze pas op het laatst uit hun achterzak trokken, een voor een begroet door een mozaïekje van vrouw en kinderen.

Ze zouden hem vast en zeker kunnen identificeren: groot, slank, blond, bril, met colbertjasje en nette schoenen, hoe onhandig hij daar stond met een spade en een schop, vreemd naar hen glimlachend, precies het profiel van een gestoorde geest die er geen seconde bij stilstaat dat zijn verschijning de vraag zou kunnen oproepen wat hij in hemelsnaam met die spade en schop van plan is.

Op de terugweg zag hij van een afstand de kleine vrachtwagen met open laadbak, half op het voetpad voor zijn huis geparkeerd. Ze waren vroeg. Hij had natuurlijk de tuinman een spade en schop te leen kunnen vragen, de man zou er op overschot hebben, maar zo was het beter, zo was hij zeker. Zo toonde hij zich ernstig; hij was geen man van het halve werk. Hij had er nauw op gelet niet de goedkoopste maar ook niet de duurste te kopen, een veilige keuze, die hem de stille hoon van vaklui zou besparen.

Steegman reed zijn garage in, liep met het gereedschap terug naar buiten, zette het tegen de muur en begaf zich langs de zijkant van het huis naar de tuin. Drie mannen waren druk in de weer, voorbereidend werk nog op het snoeien. Doordat hij op het gazon geen geluid voortbracht, probeerde Steegman een eind voor zijn aankomst hun aandacht te trekken door te hoesten. De baas, die hij eerder had ontmoet voor een prijsaanvraag, richtte zich meteen op: twee meter blakende gezondheid, een wat schuchtere, en daardoor innemende handdruk. De twee andere waren minstens tien jaar ouder, maar nog altijd jonger dan Steegman. Ze stonden schouder aan schouder, keken hem na een knikje dwazig aan, als schapen een hond. De oudste, de kaalste, had één flapoor. Eén flapoor was ontegensprekelijk erger dan twee.

Steegman begreep dat hij in situaties als deze voor het beste verloop van de werken bepaalde gebruiken of beleefdheden in acht diende te nemen, alleen had hij geen idee welke. Drie tuinmannen, het was nieuw voor hem. Bovendien waren ze er net, ze waren niet eens aan hun werk begonnen. Zou het niet vreemd zijn, tuttig vooral, om nu al koffie aan te bieden? Of zouden ze zich daardoor welkom voelen, te gast, en vervolgens moreel verplicht om hun gastheer onder geen beding teleur te stellen? Koffie? Voor hardwerkende buitenmensen op een zonovergoten lentedag? Bier leek hem geschikter. Nu kon het nog niet, niemand zou durven te aanvaarden, en hij zou een rare indruk wekken, dat hij het normaal vond zo vroeg aan de drank te gaan. Straks, na een uurtje of twee. Hij zag zichzelf in de schaduw in het gras zitten, op zijn achterwerk, niet op de hurken, de mannen op hun koelbox, elk een parelend flesje in de hand, kleine grapjes, bereidwillig gelach, een blik naar de hemel, het geklok aan de mond, ja, met bier zou hij een van hen worden, voor wie ze, een kwartiertje later, bereid zijn te werken als betrof het hun eigen tuin. Maar misschien vonden ze alleen al de veronderstelling dat zij alcohol drinken tijdens het werk een belediging: ze waren dure, plichtsbewuste vakmensen, toch geen Poolse knutselaars op een zwarte bouwwerf?

Opgejaagd door de vervaarlijk aanzwellende stilte, zei Steegman: 'Succes.' De mannen bogen synchroon naar de grond. Drie seconden later zou het anders hebben geklonken, kwalijk, alsof hij er weinig vertrouwen in had dat dit sprakeloze drietal zijn tuin aankon. Hij wachtte tot hij bijna uit het zicht was verdwenen, draaide zich om en riep dat hij vooraan te vinden was, mochten ze hem nodig hebben. Het leek echt, terloops. Uit twee mannen kwam een kort, bevestigend geluid.

In de kelder, in de waskamer trok hij oude kleren aan. Een lichtblauw overhemd en een jeans. Wat hij in feite altijd droeg. Niemand zou het verschil tussen zijn werkkleren en gewone kleren merken, hij zou het moeten zeggen. Eenmaal in zijn bemodderde rubberlaarzen vatte hij weer moed en stapte langs de garage het zonlicht in, een gladiator de arena, spade en schop zijn wapens.

Iets meer dan de lengte van een personenwagen, dat was de afstand van het huis naar de gaspijp onder het voetpad. De opritten voor de garages werden gescheiden door een verloren lapje grond, een vierkant, afgeboord met ouderwets betonsteen dat golfde. In het midden, op een massieve sokkel, een beeld ter decoratie, op het eerste gezicht een fontein, maar in werkelijkheid een eenvoudig bassin waarboven een engeltje lier speelde of zich besprenkelde met een kruik – na decennia in weer en wind kon het allebei. Hij keek naar het kniehoge afscheidingsmuurtje bij het voetpad en hoopte niet op een buitensporig fundament te stoten. Verstopt achter het muurtje, op de helft van het andere huis, lag nog de vermolmde paal van het vorige TE KOOP-bord, dat tijdens een najaarsstorm was afgerukt en niet meer teruggevonden.

Steegman nam de schop en begon waar hij van plan was te graven het laagje rode gravel weg te scheppen, zodat hij het later, als de energieleverancier de aansluiting had voltooid, weer over de dichtgemaakte geul kon strooien.

Bij de eerste echte hapering stokte zijn adem. Het was natuurlijk ondenkbaar. Het was uitgesloten. Gisteravond was hij tot het besluit gekomen dat het onmogelijk moest zijn. Na een uur googelen had hij niets over 'Vicky' gevonden. Geen rechtszaak, geen verdachte verdwijning, geen ophef. Midden in een artikel over Vicky Leandros vond hij het welletjes en ging slapen. Tegen Tereza zweeg hij erover.

Als het meisje ooit onrustwekkend was verdwenen, dan had de politie immers eerst deze huizen en de percelen waarop ze gebouwd waren uitvoerig onderzocht. Dat mocht hij toch aannemen?

Hij knielde en wrikte met een gestrekte arm het langwerpige voorwerp uit de grond. Geen verbleekt gebeente van een kind, maar een verroest stuk ijzer.

'Bouwafval,' hoorde hij boven zijn hoofd. 'Indertijd hebben ze de opritten en dit stukje volgestort met bouwafval.'

Lodewijk was er sneller bij dan Steegman had verwacht.

Vroeger deed de gasmaatschappij alles zelf, beweerde hij. Een geul van een halve meter diep en een halve meter breed, tot aan het voetpad? Daar had hij nog nooit van gehoord. Hij dacht er lang over na, ging bij zichzelf te rade, de handen diep in de ruime broekzakken, de mondhoeken omlaag, gekromde schouders, de ogen star op de grond voor zijn voeten: 'Nee. Nooit.' Diezelfde geaffecteerde houding nam hij aan als hij stapte; hij torste het leven op de rug, zijn heupen knarsten onder het gewicht, niettemin stapte hij – 'Wiet' voor vrienden – opgewekt verder. Zonder merkbare overgang zou het op een dag zijn echte oudemannenhouding worden, zoals de geuren waarin bejaarde mensen altijd hebben bewogen en gewoond ineens en onverbiddelijk gaan stinken naar verval.

Steegman hief de steel van de spade voor zijn gezicht en sloeg het blad met kracht in de grond. Hij miste zijn tenen op een paar centimeter. Het besef waaraan hij, in het bijzijn van Lodewijk, was ontsnapt, deed het zweet bij hem uitbreken. Hij zette nu de spade op de grond en ging er aan één zijde op staan, maar hij kon zijn evenwicht niet lang genoeg bewaren om het metaal in de aarde te drijven. Lodewijk keerde zich af, naar links, dan rechts, keek naar de stille straat en de geparkeerde vrachtwagen.

Hij vroeg of men de berk zou snoeien. Steegman wist toch dat een berk erg snel groeit en daarom niet oud wordt? De boom stond er al vijftig jaar, voor een berk een lang leven. Eén stevige rukwind volstond, levensgevaarlijk was dat. Steegman antwoordde dat hij aan de tuinman gevraagd had om het nodige te doen, maar voor hij zijn zin kon afmaken, riep Lodewijk: 'Pikhouweel!' Hij riep naar iemand die Steegman niet zag. Lodewijk wees met een uitvergroot gebaar naar de diepte: 'Bouwafval! Die jongen staat hier te sukkelen met een spade.'

In afwachting, en ook enigszins geprikkeld door het woord 'jongen', bleef Steegman inhakken op de grond. Hij wierp zijn hele lijf in de strijd. Tot hij een steen raakte en de klap pijnlijk nazinderde tussen vingertoppen en stuit.

Hij hoorde het geklepper van teenslippers. Met een pikhouweel over zijn schouder keek François naar Steegman als naar een ongeluk. Een paar seconden leek hij geneigd om in de bres te springen en de man met de afglijdende bril en het doorweekte overhemd te verlossen uit zijn lijden. Maar Steegman liet er geen twijfel over bestaan: hij, niemand anders, beslist geen zeventigplusser, zou de geul graven. Dat was de hele opzet. Hij was misschien wat laks geweest in het onderhoud van de tuin, als het er echt op aankwam, als dringende grondwerken zich aandienden, was hij niet te beroerd de handen uit de mouwen te steken om zich in het schuimende zweet te werken. Er schuilde in deze man van woorden een man van de daad.

Zover was hij in de waarneming van Lodewijk kennelijk nog niet. 'Jongen'. Misschien vaderlijk bedoeld, een kleine kans. Steegman kapte de grond tot mulle hoopjes, die hij met de schop aan de kant gooide. Terwijl de mannen zich in het lokaal dialect zo goed als onverstaanbaar voor hem maakten, overwoog hij wat met het tweetal te doen. Was er plaats voor hen in het boek? Het hing van T af. Heeft T contact met zijn buren? Hij leeft afgezonderd, op het platteland, houdt zich ver van de stad en de literaire scene, weigert elk interview, maar een kluizenaar is hij niet. Dan pas, in de rol van stekelige heremiet, zou hij zijn status van gevierd schrijver zelfvoldaan celebreren. Hij publiceert. Hij is vader en echtgenoot. Hij wil in het leven staan, het echte leven, hij wil deelnemen aan de wereld van Renée, die van de buurman kaartjes krijgt met smurfen erop. Schrijfsmurfen.

Hoe zou Lodewijk reageren op zijn geschreven beeltenis? Blij verrast? Trots? Geschokt door de herkenning? Wellicht zou hij Lodewijk het diepst beledigen door hem níet op te voeren, en de kleurrijke François wél. Kreeg hij nadien de kans er met hem over te praten, dan zou hij zich in beide gevallen beroepen op de wetten van de roman. De almacht van de schrijver was een fabel, het verhaal wordt hem gedicteerd; met een uitgestreken gezicht dat soort frasen uitspreken, terwijl hij aan de eettafel in een kop koffie roert, een biscuitje kiest uit het assortiment dat zijn vrouw op een porseleinen bord heeft geschikt, een bokkenpootje, een duivels koekje, de roman als corpus delicti op het gehaakte kleed tussen Lodewijk en hem in.

Hij kon niet uitsluiten dat Lodewijk in de krant iets over het boek zou vernemen en het puur uit nieuwsgierigheid naar zijn buurman, als een legitieme voyeur, zou inkijken. François daarentegen kwam hem voor als het type dat hooguit reclameblaadjes doorbladert. Maar zijn optreden in het boek zou hem vroeg of laat ter ore komen. Hij had het verhaal over hun onvervulde kinderwens, over de onvruchtbaarheid van zijn Arlette met een zekere gretigheid verteld, alsof hij meende dat Steegman en Tereza zich dagelijks afvroegen waarom zij toch geen kinderen hadden. Een verhaal dat hij, zij het altijd gedempt en onder ons, aan iedereen vertelde, omdat hij ervan overtuigd was dat iedereen met die vraag rondliep. Hij wilde dat men wist dat het niet hun vrije keuze was geweest, dat ze in wezen niet verschilden van mensen met kinderen, dat hij een echte man was en Arlette een echte moeder.

Zou het onkies zijn, amoreel? Kon hij een scène die hij normaliter met intens plezier en grote voldoening zou verzinnen, nog gebruiken als ze hem door een buurman, in de lederen fauteuil in zijn serre, in het bijzijn van zijn gekwelde vrouw in de schoot werd geworpen?

Een nieuw geluid. Zijn laatste houw had een vreemd klinkende klap gegeven. Ook de mannen keken naar beneden.

Steegman veegde de aarde weg van een brede, stenen buis, roestbruin. Hij was op dit punt nog geen dertig centimeter diep. De riolering, het klonk unaniem. Hij had de buis maar oppervlakkig beschadigd: een tweede keer rakelings ontsnapt aan het noodlot.

Maar dat was helaas niet het einde van het verhaal. Zijn rug en armen waren reeds opgebruikt, de komende dagen zou hij niet zonder hulp van Tereza uit bed kunnen, nu moest hij om de riolering heen graven, goeddeels met zijn handen. Zijn schrijfhanden. Het zweet drupte almaar sneller van zijn neus op de buis; het roestbruin, hij zag het van heel dichtbij, kleurde bloedrood.

Het leven sijpelde uit hem weg.

Hij voelde zijn bedrukte gezicht veranderen in een lach.

Alleen zo, dacht hij. Alleen dan is het toegestaan. Als roestbruin bloedrood wordt. Anders moet ik de buurmannen verzwijgen.

10

Alsof de witte kantstenen de wallen vormen van een kanaal, gevuld met nieuw asfalt, waterglad tussen mais en bieten; helemaal op het einde een klein, zwart meer, waar men kan draaien. Hier hangt nog een lint van rood-wit gestreept plastic. De vrachtwagens en de pletwals, het lawaai, de indringers zijn uit de wijk verdwenen. Het rijk is weer stil, overzichtelijk en van hen alleen.

Het meer is een ziedend moeras. Vanaf de kant prikt Andy met een tak een teerblaas open. Jürgen gooit een steentje dat meteen door het zwart gegrepen wordt, zonder te stuiteren. Jürgen en Petra staan hand in hand – Petra kijkt naar hem, Emiel, Jürgen naar Andy. Er hangt spanning in de lucht, iedereen voelt dat het moeras mogelijkheden moet bieden om hen te verstrooien.

Ze horen een fietsbel. Hij herkent het knalrode bikinitopje, de lichte shorts, het opgestoken blonde haar. Sandra is een paar maanden ouder dan hij. Ze zit op een strenge meisjesschool, uniform verplicht. Ze freewheelt, trapt niet meer bij, ze houdt de knieën zedig tegen elkaar. Meestal blijft ze in de tuin, bij haar broertje en haar vader, die net zo zuiders gebruind is als zijn dochter. Haar mondhoeken krullen mild. Ze is altijd precies even vriendelijk tegen iedereen die haar pad kruist, een gelijkmatige schutkring, een vaste, veilige afstand. Haar ogen zijn te donker om te peilen.

Uit het maisveld springt een jonge kat speels naar de langsglijdende fiets, een tijgertje in witte sokken. Boer Tuyt laat het eerste nest van het jaar leven, het tweede niet. In de zomer vinden de katten makkelijk eten. Het volgende jaar zijn de meeste verdwenen. Jürgen beweert dat de boer het tweede nest in een juten aardappelzak stopt en buiten het zicht van de boerin tegen de muur slaat. Zijn vader heeft het gezegd. Zijn vader helpt oogsten.

Sandra remt geleidelijk en rijdt voorzichtig terug. Nadat ze haar fiets op het nieuwe wegdek heeft neergevlijd, keert ze in kleermakerszit het tijgertje de rug toe, dat aan de kant met geknikte voorpoten het parfum van zonnebrandolie en acnecrème besnuffelt. Andy probeert haar plannetje te saboteren door te sissen en te joelen, maar dat staat hij niet toe. Zijn blik dwaalt af naar de boerderij in de verte, een in zichzelf gekeerd complex van gebouwen en stallingen. Alleen door een venster in de dakgevel, onder een zeer scherpe hoek, zou iemand hen kunnen gadeslaan.

Sandra aait het tijgertje. Het dier lijkt eerst nog haar hand te willen ontwijken door er soepel onderdoor te buigen, dan ontdekt hij het genot en duwt hij wild zijn kopje en rug omhoog. Het vertrouwen herinnert hem aan zijn honger, hij mauwt om eten, toont telkens zijn naaldscherpe gebit. Sandra neemt de kat op en drukt hem tegen haar borst, komt de anderen tegemoet.

Niemand heeft iets te eten bij zich. Ze zitten in een kring op de grond, het tijgertje loopt van de een naar de ander, smekend. Ten einde raad wil hij op Sandra klimmen en slaat een klauw in de glimmende welving van haar linkerborst. In een reflex kromt ze haar rug en veert achteruit, haar volle, knalrode bikini schommelt aan haar schouders als nooit voordien, maar ze maakt geen geluid en is alweer mild in de mondhoeken. Ze bevochtigt haar wijsvinger met speeksel en streelt de wond. Andy lacht het langst, onwennig.

Jürgen zegt dat katten alles lusten wat zoet is. In bieten zit suiker. Samen met Andy graaft hij er een uit het veld. Ze wrijven de biet schoon en slaan hem dan, na een poging of vijf, te pletter op de kantsteen. De kat snuffelt, likt, maar hapt niet toe. Honden, zegt hij. Honden lusten zoet. Katten zijn jagers. Het moesje dat hij intussen met een steen van een stuk biet heeft gemaakt, lijkt het tijgertje toch te kunnen bekoren. Hij likt het smekkend uit zijn hand.

De opwinding over de kat verdampt onder de laaiende zon. Tot iemand, Jürgen, een stuk biet naar het zwarte moeras gooit. Het tijgertje volgt het projectiel met gerichte oren en licht trappelende achterpootjes, klaar om de jacht op de prooi in te zetten. De stank van het hete asfalt leidt hem af, brengt hem tot inkeer.

Daarna gaat het snel; de dynamiek van de groep komt op gang. Andy, de jongste, de clown met de grove trekken: geen uitdaging die hem in het oor wordt gefluisterd gaat hij uit de weg, geen kans om zich durfal te tonen, om de onbereikbare

meisjes te plagen, een lach af te dwingen, van plezier of ont-
zetting. Die het een blijk van vriendschap acht dat de oudste
hem iets opdraagt, een plicht. Hij, de stilste, de toeschouwer,
die zich via Andy en zijn fratsen laat gelden als leider.

Petra schreeuwt het uit zodra Andy de kat bemachtigt,
Sandra kijkt stoïcijns toe, mild, de armen gekruist onder
de rode bikini, alsof ze dit lang voor de anderen heeft geweten, nu wel eens wil zien wat ervan zal komen, de jongens
op haar beurt uitdaagt, toon dan wat jullie met z'n tweetjes
durven, toe maar.

Met het beest ver van zich af slingert Andy het als een
hamer weg. Het is muisstil, de vlucht is zonder geluid, niemand ademt, de staart zwiept, de witte pootjes zoeken meteen lenig naar de grond. De landing slaagt maar nipt, de
schok wordt gedempt in elk gewricht, de buik zakt diep en
raakt even het asfalt. Dan gebeurt er een seconde zo goed
als niets. Het kopje is midden in een draai naar het publiek,
wanneer ineens het achterlijf hoog weggekatapulteerd
wordt, met een kracht die het dier een gedraaide salto doet
maken. In de nieuwe vlucht stijgt het gekrijs en gejammer
op, de haren komen steil overeind, de staart dik als een
pluim. De zwarte grond wil de kat maar niet ontvangen en
schiet hem keer op keer in andere kronkels het luchtruim
in. Zelfs als hij ten slotte de droge aarde bereikt, gaat het
door, brandt het kleverige asfalt diep in de kussentjes onder aan de poten. Aan het geritsel in het mais, de af en toe
schuddende stengels, kunnen ze zijn aftocht naar de boerderij volgen.

11

De poetsvrouw, Sonja, Anita, Jenny, komt altijd vijf à tien minuten te laat. Vijf minuten voor het afgesproken uur welt zijn ergernis op. Nooit komt ze vijf minuten vroeger om al die keren dat ze te laat is te compenseren. Het is normaal geworden, alsof T het heeft toegestaan nadat ze het met hem heeft besproken. Dat de voordeur steeds op een kier staat, dat ze nooit hoeft aan te bellen, wellicht vindt ze ook dat inmiddels normaal; wat zou hij beter te doen hebben dan haar komst af te wachten?

Stille wenken zijn niet aan Sonja besteed.

Niets in haar leven is stil.

Ze heeft een ruwe stem. Niet gemeen en hees van tabak, maar van nature ongepolijst en hard. Pas als je haar gezicht hebt gezien, geloof je dat een vrouw zo'n geluid kan produceren, dat het bestaat, dat zo'n geluid bij een vrouw kan passen. Een geluid met maar één sterkte, voor alle gebruik. Hoewel het om een fysieke eigenschap gaat, een voldongen genetische aangelegenheid is, gelooft T niet dat Sonja er zwaar onder lijdt: het valt haar niet op dat ze harder praat dan zowat iedereen. Of het komt haar goed uit.

Het is nooit echt ter sprake gekomen. Geld is er genoeg, zijn vrouw weet dat er geld genoeg is, dat ze zeker niet voor de centen elke dag uit werken moet gaan. T heeft er niet op aangestuurd; hij zou het niet erg vinden als het anders was, maar misschien is het beter zo. Hij vermoedt dat ze het voornamelijk voor hem doet, om hem overdag het lege huis te gunnen, zijn eigen exclusief gezelschap. Misschien wil ze afstand nemen. Ze wil voor beiden de mogelijkheid behouden zich af te vragen wat de ander nu doet. Ze wil de gelegenheid scheppen om elkaar te missen, en 's avonds thuis te komen.

Maakt ze zich daarom zo mooi? Neemt ze daarom 's morgens ruim de tijd in de badkamer? Moet hij, als hij opkijkt van het papier, eraan denken hoe haar begeerlijke billen in de elegante, zwarte pantalons door anderen worden bekeken? Wil ze dat hij zich aan haar verlustigt, aan het idee dat ze het alleen hem zou toestaan, in het kantoortoilet, zijn handen om haar middel, die het blote wit tegen zijn bekken duwen? Verlustigt zij zich, in datzelfde toilet, wijdbeens aan wat ze bij hem teweeg weet te brengen?

Waarom zou hij in het middelpunt staan van haar gedachten? Ze doet het natuurlijk voor zichzelf. Om aan hem te ontsnappen. Op haar werk vertelt ze niemand wie haar man is. Om hem te beschermen, ja, dat ook, maar vooral omdat ze niet met hem geassocieerd wil worden. Ze wil een eigen leven. Ze laaft zich aan de normale wereld van files, collega's en targets. Hoe, echter, valt dit te rijmen met de talloze ergernissen die ze elke dag meeneemt naar huis? Is ze verstrikt in een onzichtbaar web van emancipatorisch masochisme?

Ze hebben, naast een gedeelde, elk een eigen bankreke-
ning. Omdat het niet belangrijk is, weet hij niet hoeveel ze
verdient – óf ze iets verdient. Hij herinnert zich vaag een roman waarin een zakenman vele jaren 's morgens zijn vrouw
ten afscheid kust, van huis vertrekt maar nooit op een kan-
toor aankomt. Zit ze, om hem zijn werkrust te geven, hem
niet met verantwoordelijkheid en schuldgevoelens op te
zadelen, voor het gemak en de lieve vrede, de hele dag te
lezen in een wegrestaurant? Heeft ze ergens laarzen verborgen, en stapt ze in haar zwarte pantalons de uren weg in
het bos? Of toont een jonge woesteling, een schilder zonder
borstels, haar elke hoek van zijn atelier? Kan ze hem tijdens
het koken voor haar dochter en haar man nog voelen als ze
stiekem haar billen samenknijpt?

Hij gelooft het niet. Het zou betekenen dat ze zowel een
uitmuntende schrijfster als een verbluffende actrice is: al
die intriges onder collega's verzinnen, zo veel knagende ergernissen veinzen. Zijn vrouw werkt in human resources.
Wat zou ze de hele dag thuis moeten doen? Poetsen?

T vindt het erg dat ze steevast te laat komt. Hij klaagt tegen zijn vrouw over het halve werk, over het vaste traject
dat Sonja, Anita, Jenny in huis aflegt zonder er ooit van af
te wijken, al waaien de stofpluizen haar in het gezicht. Hij
gruwt van de razende beltoon op haar mobiele telefoon.
Maar het meest ziet hij elke week op tegen het 'praatje',
wanneer na afloop van het poetsen een formulier onderte-

kend moet worden, een stempel gezet. Het praatje wordt ingeleid met de schelle boodschap onder aan de trap dat ze klaar is, steevast tien minuten voor het afgesproken uur, en hij haar fluisterend in zijn bureau antwoordt: 'Nee, dat ben je niet.' Beneden doet ze druk met handtas en schoenen en autosleutels. Ze praat alsof T is ingewijd, alsof hij alle mensen die ze vluchtig vernoemt al langer kent dan vandaag, alsook hun onderlinge relaties, en alle details van de gebeurtenissen die ze terloops aanhaalt, kan plaatsen, omdat hij, samen met de rest van de wereld, weet waarover het gaat en wat eraan voorafging. Het is de vanzelfsprekendheid die hem met verstomming slaat, het gemak waarmee zij, in aanwezigheid van onbekende mensen, het centrum van het heelal blijft, parmantig articulerend, niet van de straat. T zíet als het ware de overgemoduleerde geluidsgolven uit haar schuurpapieren strottenhoofd komen, hoort hoe ze tegen de muren aan botsen en weerkaatst worden en de woonkamer herscheppen in het akoestisch equivalent van een woest klotsend aquarium. Hij houdt zich vast aan zijn rubberbootje – een pen, de post, een tijdschrift – en zit de storm met een glimlach uit. Hij weet niet goed waarom. Hij komt uit bij beleefdheid. Of is hij bezorgd over het beeld dat deze vrouw, als bevoorrechte getuige, van hem in het dorp zal ophangen, indien de beroemdheid niet bereid is een praatje te maken met de poetsvrouw?

T hoort de ding-dong diep in het huis. Terwijl hij wacht, kijkt hij naar de overkant van de straat. Dit is wat Lodewijk en zijn vrouw zien als ze naar zijn huis kijken. Wat zou hij zelf denken, hoe zou hij zich de mensen voorstellen die in een huis als het zijne wonen?

Hij wordt ogenblikkelijk uitgenodigd binnen te komen, hartelijk, alsof het een bezoek betreft dat al lang is aangekondigd en waar zij erg naar hebben uitgekeken. Het ontbreekt er nog aan dat het porselein op de gedekte tafel staat. Ze houden halt in de leegte tussen woonkamer en salon, als hij de reden van zijn bezoek in het midden werpt: het blauwe mandje. Het mandje waarin Lodewijk de post heeft verzameld tijdens hun vakantie.

Lodewijk kijkt naar zijn vrouw, buigt kort het hoofd; ja, nu weet hij het weer, het blauwe mandje, en tegen zijn vrouw: het mandje van de bonnen. Het is een mandje waarin ze bonnen bewaren, goh, een prul, nog van haar moeder, denkt hij, bonnen of een interessant krantenartikel, een recept; Lodewijk wijst naar een leunstoel in de hoek.

T knipt in gedachten de leeslamp aan, ziet het brilletje op het puntje van Lodewijks neus, hoort de zeurende vraag om de schaar, de goede, richting keuken, altijd om een uur of halfzes. Zijn vrouw die hem de schaar brengt, met een trage pas, met een lichte wrevel, lange, hangende armen, waar hij geen acht op slaat. Trouwens, hij doet het toch voor haar?

T hoort hoe Lodewijk het woord 'prul' in de mond neemt. Hij is er de man niet naar om zich te omringen met prullen. Het zijn prullen, ze hebben geen waarde, maar ze zijn door Lodewijk geselecteerd om deel uit te maken van zijn geordend leven, en daarom belangrijk, onmisbaar. Met het woord 'prul' bekent hij kleur, hij weet waarover dit gaat, de herinnering is levendig. Een week lang heeft hij het hoofd afgewend zodra hij T voor het huis zag verschijnen, een signaal van stille woede, omdat T niet, volgens de uitdrukkelijke afspraak, het blauwe mandje voor de middag had teruggebracht. T wist dat hij en zijn vrouw na de middag uit waren, stipt wilden vertrekken! Het mandje als een stuk vuil op de dorpel achterlaten, voor de katers om te besproeien.

Een prul.

Zal de biograaf die hier komt luisteren over het oor beschikken om de klinkklare dissonant te horen?

De biograaf zit op dezelfde stoel als T nu, hij neemt een koekje en verbaast zich over het gehaakte tafelkleed. De sfeer in het huis herinnert hem aan de vakanties bij zijn grootouders. Warme herinneringen. Terwijl hij met zijn tong een stukje amandelnoot uit een kies peutert, ziet hij het woord 'bokkenpoot' al gedrukt staan in zijn boek. Hij kijkt door de terrasramen en prent zich de tuin in. Die toestand met het blauwe mandje intrigeert hem mateloos. Waarom kwam T zich maanden na dato zo ernstig bij Lodewijk en zijn vrouw verontschuldigen? Een jaar na zijn dodelijk ongeval is dit het eerste wat hun te binnen schiet.

Lodewijk lijkt nog altijd verbijsterd, hij herhaalt dat hij het niet begrijpt. Waar ging het over? Een blauw mandje, nog van haar moeder, een prul, kijk maar, hier: een prul. Zij zijn toch geen mensen die hem zo snel iets kwalijk zouden nemen? Zien zij er zo uit? Als het soort mensen dat andere mensen meteen veroordeelt?

T en zijn dochter staan tussen twee dikke coniferen achter in de tuin. Voor hij het verroeste poortje openmaakt, waarschuwt hij eerst links en rechts te kijken voor eventuele fietsers; Renée rent blindelings het pad op.

Het is de derde dag na de eerste keer. De eerste keer was een misverstand. Hij dacht dat de vrouw aan het einde, of beter aan het begin van haar lange, smalle tuin hem aankeek. Met een wasmand tussen haar voeten, haar handen op de heupen. In een opwelling stak hij zijn arm in de lucht en zwaaide. Wellicht keek ze naar haar hondje bij het konijnenhok, ongeveer halfweg tussen hen in, dat hij vanaf het wandelpad niet had gezien. Wellicht heeft zij later op de dag het misverstand begrepen. Dat de man naar haar had gezwaaid, terwijl zij, in zijn richting, Filou in de gaten hield. Of was het toevallig dat ze de volgende morgen weer een was had op te hangen op hetzelfde tijdstip? En indien niet, indien het een soort verontschuldiging was geweest voor de vorige dag, dan vast de derde keer, gisteren, wel. Het toeval van een onweerstaanbare lentebries.

Hij ziet niemand, hij slentert, hij denkt te ontwaren dat de achterdeur van het huis niet dicht is. Hij hurkt, trekt zijn veters los en strikt ze. Hij werpt een blik op zijn polshorloge; hij is naar schatting drie minuten vroeger dan gisteren. Hij hoort Renée roepen, ze heeft het trottoir al bereikt, wacht op hem.

Als een ranke Ethiopische met een kind dat te groot is om op de rug te nemen, rust de ene rand van de volle wasmand op haar heupbeen en helt haar romp de andere kant op. Bij de wasdraad kijkt ze bijna terloops over het konijnenhok, in de verte, ziet hem en wuift met haar vrije hand. T is inmiddels weer op de been, hij wacht een paar tellen, als geeft hij de begroeting rustig de tijd om de afstand te overbruggen, en wuift dan op dezelfde wijze terug.

Het stelt niks voor. Op een dag zal het ophouden, misschien morgen al. Ze kennen elkaar niet. Ze zouden elkaar niet eens herkennen in de rij bij de bakker. Ze hebben niets met elkaar uit te staan en voelen geen behoefte tot toenadering. Het beeld dat bij hem van haar leeft, en bij haar van hem, is daarom puur, onbezoedeld. Hij ziet alleen maar een slanke vrouw die de was ophangt, zij alleen maar een vader die zijn dochtertje naar school brengt. Niets anders.

12

De jeuk was komen opzetten toen hij zich af-
droogde. Steegman wist zeker dat hij geen
shampoo in zijn ogen had gekregen. De verklaring die hij
steeds bedacht, was dat de warmte van het water iets had
veroorzaakt. Hij hechtte er weinig geloof aan; de jeuk zat te
diep, achter zijn linkeroog. Af en toe draaide hij de oogbal
tot het uiterste weg, rekte de spier helemaal op en voelde,
zij het alleen de eerste seconden, een genot alsof hij een
vingernagel in een muggenbeet drukte. Snel volgde onge-
mak, dat de frequentie van zijn onafgebroken geknipper
steil de hoogte in joeg.

Hij nam het kaartje uit de slagboomautomaat en reed de
ondergrondse parkeergarage in.

Hoeveel van deze kleine, onbestemde klachten kregen
huisartsen niet dagelijks te horen? Te onbestemd om een
behandeling voor te schrijven. Ze halen hun schouders op,
voelen opnieuw, kijken wat aandachtiger, mompelen in
medisch jargon en geven ten slotte het advies nog even af
te wachten. Ze wijzen op het heilzame effect van een eenvoudige pijnstiller. Voor een gevoel van algemeen welzijn.

Steegman had er twee doorgespoeld met een flinke bel armagnac. Hij had zijn vulpen in de binnenzak van zijn lichtblauwe pak gestoken en naar Tereza geroepen dat het nu echt tijd was om te vertrekken.

Het geknipper maakte hem duizelig. Alsof twee, drie keer per seconde het licht uitviel en weer aanfloepte. Telkens opnieuw moest hij scherpstellen op zijn licht gewijzigde omgeving; zijn zicht was harkerig, minuscuul vertraagd, niet vloeiend en anticiperend als gewoonlijk. De nakende presentatie van zijn nieuwe roman zou niet als een film maar als een verzameling beelden aan hem voorbijtrekken, frames die net niet op elkaar aansluiten.

Op weg naar de lift nam Tereza zijn hand. In het lange proces van idee tot publicatie zag hij hier het meest tegen op: de wandeling van de geparkeerde wagen naar het pand waar de schrijver van het gloednieuwe boek verwacht wordt. Binnenkomen. De wandeling en het openen van de deur, het valluik.

Weer boven de grond vulde hij zijn longen met de frisse bries die over het plein trok. Toen ze nog in de stad woonden, zocht hij graag dit plein op, 's avonds, rond dit uur. Het was omringd door bankinstellingen, anonieme hoofdkantoren, die de neoclassicistische gevels, nooit hoger dan vijf verdiepingen, in ere hadden hersteld. In een hoek stonden de opera en een concertzaal bijna schouder aan schouder, voor horecazaken restte weinig plaats. De tocristen, de buiken en korte broeken, hielden zich op in de schaduw van het belfort en de kathedraal. Maar ook als er mensen waren, wekte het weidse plein een verlaten indruk, midden in de stad, iedereen herleid tot zijn ware proporties.

Naast de hoge raamdeuren van de foyer van de concertzaal herkende hij het omslag van *De moordenaar* op een keurige display. Een zwarte achtergrond waartegen de identieke, emblematische kopjes van burgermannen – rood, geel, blauw – elkaar uit de ooghoeken beloerden. Een eerste voorstel van de ontwerper, meteen raak. Ook zijn uitgever vond het mooi, maar wees erop dat een echt ontwerp als dit, en dus niet een foto met belettering, op weinig enthousiasme van de boekhandel mocht rekenen. Na wat e-mailverkeer hadden ze besloten het ontwerp te houden; Steegman had immers nog niets te verliezen. Je wist het maar nooit. Misschien zou het tegendraadse uiterlijk, de vrolijke absurditeit van het beeld, de reminiscentie aan meesterwerken uit de jaren vijftig de meer avontuurlijk aangelegde lezer kunnen verleiden tot aankoop. Voor het gros van zijn collega's, moest hij weten, was dit publiek compleet onbereikbaar.

Vanavond zou het ontwerp geen rol van betekenis spelen. Zijn boekpresentaties werden altijd druk bezocht en na afloop steeds een groot succes genoemd: het hoogtepunt in het korte leven van zijn romans. De opkomst was niet representatief voor zijn populariteit. Hij had het geluk dat Julie, de zus van Tereza, een beminnelijke verschijning, de foyer runde en heel veel mensen kende, en dat de avond georganiseerd werd door een literatuurgekke boekhandelaar met een uitgebreid adressenbestand. Het resultaat was een vaste schare van honderdvijftig à tweehonderd kooplustige mensen, die hij intussen allemaal bij naam zou moeten kennen.

De wandeling en het binnenkomen, en bij het schrijven van een opdracht naar iemands naam moeten vissen, de derde voorstelling op rij.

Hij zag zijn ouders aan de rand van de menigte. Niemand zou hem kwalijk nemen dat hij eerst zijn ouders begroette. De eenvoud van zijn moeder, haar licht afwezige blik wanneer ze zich op onbekend terrein begaf, kalmeerde hem; hij keerde zijn rug naar de rumoerige zaal en lachte frontaal in haar ogen, een blijk van genegenheid, die ze beantwoordde door haar hand eventjes op zijn wang te leggen. Ik ben trots op je, jongen. Je weet dat ik je boek niet zal lezen, ik kan me niet concentreren, het is allemaal te ingewikkeld voor me, maar weet dat ik erg trots op je ben en dat ik je alle geluk toewens. Met het gebaar had ze in één klap alles gezegd. Ze was zichtbaar opgetogen. Ze was blij dat ze zo vroeg op de avond de gelegenheid had gekregen, dat haar wat afstandelijke zoon haar groothartig die gelegenheid geschonken had. Het feest was geslaagd. Ze zou het niet erg vinden om nu te vertrekken. Lekker vroeg thuis.

Tereza praatte met zijn vader, die zijn zoon een kus gaf en vervolgens zijn aangezette ernst weer aan Tereza wijdde. Steegman nam niet deel aan het gesprek. Niet veel later had hij een gin-tonic in de hand, hij had de periferie verlaten, op Tereza zou hij de rest van de avond niet meer kunnen rekenen. Hij dompelde zich onder in de broeierigheid van de groep. Hij gaf zich over. Hij hoorde wat hij zei, hij was meteen op dreef. Hij luisterde naar de uitbundig ge-stifte, vlezige mond van een vrouw met een gitzwart kapsel, ze leek weggelopen uit een stomme film, met een lijnrechte froufrou – hij verwachtte een sigaret in een paarlemoeren mondstuk tussen haar wit gehandschoende vingers. Een voormalige buurvrouw die een metamorfose had onder-gaan. Die al zo lang alleen was dat ze het van lieverlee als een verdienste was gaan uitdragen. Hij stelde vast, herin-nerde zich van vorige edities dat zodra hij zijn bereidheid tot praten liet merken, hij weinig meer hoefde te zeggen. Zijn spontane overgave hielp de gasten over een drempel. Hun schroom om op zijn avond, in het gezelschap van de ge-vierde schrijver, zichzelf te zijn, verdween als sneeuw voor de zon.

Hij luisterde naar de man die hem met zachte dwang in zijn kringetje had genodigd – een hand om zijn bovenarm, zijn voornaam, twee keer. Een vijftiger in klassiek pak, een gouden dasspeld, iemand uit de raad van bestuur, uitgeno-digd door Julie. Hij stelde zijn vrouw voor, zijn twee pube-rende zonen, Juul en Siel, bedeesd bij het horen van hun namen. De Loterij, mede-eigenaars van de concertzaal, een oude handelsbeurs, renovatie, miljoenen, het hoge plafond, de zuilen, de frontons. Jaartallen. Napoleon.

Steegman had het lang niet meer gezien, een man, altijd mannen, met een slijmerig draadje van oud speeksel tussen boven- en onderlip, dat almaar afbreekt, zich viezig ophoopt in de vochtige bedding, tot de volgende b, p of m weer con-tact maakt met de overkant. Hij keek er nadrukkelijk naar, veegde zijn lippen schoon, maar slaagde er niet in de man te beïnvloeden. De vraag of hij dit zelf niet voelde, of wist uit ervaring. Hoeveel keer moest zijn vrouw al niet plaatsvervangend de lippen hebben schoongemaakt om hem indirect of discreet aan het degoutante propje te herinneren? Hoe verklaarde hij de aperte weerzin op de gezichten van Juul en Siel aan de ontbijttafel?

Het zou nu niet lang meer duren tot de bekentenis kwam, onbeschaamd, een beetje trots: hij las geen romans. Daar had hij geen tijd voor, maar zijn vrouw las zich blind, sloot zich op in de slaapkamer, tot drie boeken per week! Steegman hoefde het niet te vragen, de vrouw hoefde het niet te zeggen; hij wilde het niet horen: thrillers.

Tientallen bekenden in zijn blikveld. Een vluchtig knikje hier, een teken daar, ik kom zo. Waar was de professor, die zijn boek zou inleiden, waar was de promotiedame van de uitgeverij, waar zijn redacteur? Hij durfde zijn hoofd niet boven het maaiveld uit te steken. Hij leek het snelle knipperen van zijn oogleden te kunnen horen, niet buitenom, binnendoor, golfjes in het fluïdum. Het geknipper was te vergelijken met de tikkende hamertjes op zijn schrijfmachine, het zonderde hem af. Vroeger was hij hypergevoelig voor de minieme bijgeluiden van zijn computer, aan alle geluiden die hij tijdens het schrijven opving, nu verschanste hij zich in een ondoordringbare cocon van geklak. Het geluid van zijn boek overstemde de wereld.

In het zwart van de ontbrekende frames zag hij flitsen van T. Incognito woont hij de voorstelling van zijn nieuwe roman bij. Alle aanwezigen kennen hem, natuurlijk, maar de meeste van een foto die negen jaar oud is. Een baard, een kortere haardracht, of een langere, een andere bril, sportschoenen, een T-shirt, en vooral het feit dat niemand T op zijn eigen boekvoorstelling verwacht, maken hem totaal onzichtbaar, een vlieg. Dit is een uitgelezen evenement. Hier zijn alle mensen verzameld die het eerst door de biograaf benaderd zullen worden. Hij struint langs de groepjes, luistert, slaat de mensen gade, hoe zij verouderd zijn maar niet veranderd. Sommigen was hij vergeten.

De ouders van T zou Steegman thuis moeten laten. Zij zouden hem herkennen, verraden. Ook zijn zus, Marie, en haar boomlange vriend zijn er niet. Zij hoorden thuis in een afzonderlijk hoofdstuk. Een familiefeest. Niet zomaar iets, een belangrijke verjaardag, zijn vader, hij wordt vijfenzestig. Ze gaan niet naar een restaurant, zijn moeder wil het gezellig thuis vieren, kinderen, kleinkinderen. Ze ziet ernaar uit om het feest voor te bereiden, ze bestelt lam, bloemen voor de tafel, ze koopt nieuw linnen. De bestekkoffer die ze op haar huwelijk cadeau kreeg, haalt ze uit het dressoir, zet ze alvast aan de voet van Big Ben. Ze sluit zich twee dagen op in de keuken, een Virginia Woolfachtige passage, de gelijktijdigheid van haar wereld, de herinneringen die opdampen, de vervoering. Met Mrs. Dalloway kan ze voor het overige niet vergeleken worden. Ze groeide op tussen zwijnen, kippen en zeven kleine kinderen, van wie ze op haar twaalfde moeder werd. Op haar veertiende nam haar zusje de fakkel over, en ging zij werken, dienen bij een nieuwrijke familie in de provinciehoofdstad. Het dichtst bij verfijning of schone kunsten kwam ze op vrijdagochtend, bij het afstoffen van vier Chinese vazen op de overlopen van de centrale trap, het porselein zo dun, vertelt ze haar zoon, dat je de zon erdoorheen zag schijnen. Eenmaal getrouwd gaat ze met haar man in de fabriek werken. Neem een meubelfabriek, elke dag thuis om kwart over vier, de kruidige geur van houtkrullen, van bergen wit schaafsel in de groene overall van zijn vader, vernis in het schort van zijn moeder, het korstje van het verse brood, het flesje zurig bier altijd op dezelfde plek op de vensterbank, de kersrode fonkeling, terwijl zijn vader de krant doorbladert op het aanrecht, het stof uit zijn neus peutert. De plons van de eerste geschilde aardappel viel precies samen met het tikken van de glazen, het klinken met zijn goede vriend Barry, die nogmaals zijn felicitaties uitsprak voor *De moordenaar.*

Samen met Tereza en hun gemeenschappelijke redacteur behoorde Barry tot het drietal aan wie Steegman zijn werk het eerst te lezen gaf. Hij was bijzonder belezen en bezat de precisie en snelheid van formuleren die het goed doen op radio en tv. Ook zijn essays in de krant, in de boekenbijlagen, waren van een jaloersmakende helderheid en geestdrift, en het had Steegman verheugd te horen dat naar Barry's mening elke slechte bespreking van *De moordenaar* uitsluitend kon ontstaan uit de kwade wil van de recensent.

Hoewel hij niet had getwijfeld aan de oprechtheid van zijn vriend, kon hij, toen Barry deze zin tussen twee pufjes van zijn duimdikke Cohiba uitsprak, niet vermijden te denken aan een passage in een roman, waarin na een hartelijk bezoek van een dik bevriend koppel, of was het een feestje met nog andere vrienden, dat kon ook, de hoofdpersoon, de gastheer wacht met de hoorn van de intercom aan zijn oor tot het koppel uit de lift stapt en ongeveer ter hoogte is van de luidspreker om hun te waarschuwen dat zij boven iets hebben vergeten, maar het koppel dat hij hoort moeten andere mensen zijn, de toon van hun gesprek is ernstig, tot hij hun stemmen herkent, de namen hoort van zijn vrouw en hemzelf, gedrenkt in giftige minachting.

Net toen Steegman het voorkomen van zijn vriend in een paar treffende beelden poogde te vatten, notities voor later, vroeg deze hem, ironisch, of hij al aan een nieuw boek schreef. Steegman vond het woord 'boek' altijd klinken als een dik boek dat dichtgeklapt wordt, en ook in hem klapte iets dicht, ineens botste hij op de onafzienbare omvang van zijn nieuwe roman, van dat boek dat de komende jaren geschreven moest worden. Een animatiefilmpje, iets in 3D, hij wist niet meer wanneer, een van die peperdure documentaires van de BBC, waarin de gebeurtenissen in de moederschoot ten tijde van de conceptie, en ver daarna, aanschouwelijk worden gemaakt, de eenzaamheid van de dappere zaadcel, het speldenkopje met trillend staartje in een schrikbarende onderwereld, een microscopisch heelal, een odyssee vol gevaren en vijandigheid, en het langzaam opdoemen van een reusachtig bolwerk, de aantrekkingskracht, de dikke, onregelmatige wand waar het zaadje zich als bezeten doorheen probeert te wurmen.

Zijn blik viel op Barry's vriendin, haar lieftalligheid, ze zei iets tegen hem, hij knikte, hij hoorde het niet, haar dieprode haren duwden hem het boek weer in, bisque d'hommard, het voorgerecht, T lepelt bisque d'hommard, zo rijk en dik, bijna bruin, de trots van zijn moeder, geleerd toen ze diende, toen ze het vuile werk in de keuken opknapte, de dikke kokkin lui, met losse handjes, het vroege hoogtepunt van het feestmaal, het lam te rauw, de taart kruimelig, de zelfverwijten, uitentreuren. Na het voorgerecht is er even tijd, ze hebben de hele middag, de kinderen naar bed, hij glipt het huis uit. De straten zijn smaller geworden, de wijk is gekrompen, de lucht hemelsbreed. Zo veel mensen die gewoon hebben verder geleefd toen hij lang geleden uit het zicht verdween, dicht bij elkaar en hun familie, bij hun gelijken, in hun dialect, als in een reservaat; op geen veertig minuten rijden van zijn huis, vrij te bezoeken. Ze zijn nooit in Isfahan geweest, hebben nooit in Alexandrië gewoond, ze hebben nooit de Woestijn der Tartaren gezien, de Zijderoute bereisd of kir royal gedronken op de Oriënt Express, nee, dat soort romanfiguren zijn het niet. Maar ze hebben allemaal T gekend, de eigenaardige, blonde jongen, zoon van zijn vader, oogappel van zijn moeder, vroeg verbannen naar zijn verbeelding, vervreemd.

Aan de rand van het kleine podium, bij het standje van de boekhandel, vond hij Dominique, de promotiedame. Ze was minstens vijftien kilogram afgevallen sinds hun laatste ontmoeting op de voorstelling van Barry's podiumgedichten. Steegman wist niet of hij bezorgd naar haar gezondheid

moest vragen of haar complimenteren met haar dieet. Ze
namen elkaar bij de schouders en kusten, op haar aangeven, drie keer. Ze gaf feestelijk klinkende zoenen. Of waren het innige zoenen van een onuitgesproken afscheid?
Of van troost, morele steun, want het eerste wat Steegman
te horen kreeg, was dat aanvragen voor interviews waren
uitgebleven. Dat zou in de loop van volgende week vast en
zeker veranderen. Ze leek te insinueren dat ze hem desnoods een interview zou versieren, dat ze al haar charmes
voor hem in de strijd zou werpen. Ze had een heerlijk parfum op, ze had een nieuwe bril en een nieuwe, korte garde-
robe. Misschien had de ziekte een ongebreidelde vitaliteit
opgewekt, misschien genazen mensen op die manier van
het ongeneeslijke. Misschien had de ziekte haar eindelijk
het lijntje bezorgd waar ze haar hele volwassen leven naar
gehunkerd had, en zou ze in de tijd die haar restte alle haar
geschonken troeven uitspelen, geen enkele gelukkige bij-
komstigheid van haar penibele toestand onbenut laten. De
dood waar en wanneer en met wie het maar kon al vrijend
een loer draaien.

Steegman zei dat hij dit keer geen zin had in interviews.
Hij zou het boek voor zichzelf laten spreken, hij had er niks
aan toe te voegen. Maar daar had Dominique kennelijk
geen oren naar, zoiets kon ze van een schrijver niet ernstig
nemen, ze zat twintig jaar in het vak. Ze kwam naast hem
staan, als om duidelijk te maken dat ze tot hetzelfde kamp
behoorden, rustig maar, we komen er wel uit. Kameraden
in de strijd om media-aandacht.

Ze keken naar de menigte. Ze zei dat er meer mensen waren dan ze had verwacht. Ze zei dat de professor zeer enthousiast was over het boek, ze verwachtte hem elk moment, ze had hem net aan de lijn gehad, hij was aan het parkeren. Steegman voelde haar hand over zijn onderrug glijden, ze vroeg of hij nog een drankje wilde. De stellige indruk dat hij veel meer had kunnen vragen. Toen kwam de boekhandelaar hem groeten, feliciteren. Hij nam *De moordenaar* van de tafel en bekeek het boek of hij het voor het eerst onder ogen kreeg. Hij las een stukje van de flaptekst, liet de bladzijden onder zijn duim gaan en bracht de auteursfoto dichter bij zijn gezicht. Hij vroeg of Steegman inspraak had in het ontwerp, hoe dat ging tegenwoordig. Verzorgd, luidde zijn slotconclusie: het boek zag er verzorgd uit. Hij zei het, liet hij doorschemeren, omdat hij het echt meende. Na de klapzoenen van Dominique de tweede troostprijs van de avond.

Steegman zette het glas aan zijn mond, maar dronk bijna niets van de gin-tonic, genoot van het ijs tegen zijn bovenlip. Allicht Dominique, de boekhandelaar was twijfelachtig, de professor zeker – nevenpersonages die op de boekvoorstelling van T een rol zouden spelen. Hij zou het over de kuiten van Dominique moeten hebben. Hij deelde Barry's mening dat de vrouwenkuit ondergewaardeerd werd. De kuit en, wat Steegman betrof, de voetwreef, gestrekt in een Italiaans zomerhakje. De achteloosheid waarmee sommige vrouwen op een terrasje twee gelakte nagels, ring- en middelvinger, licht over de gestrekte wreef van de bungelende voet halen, terwijl ze met één afhangende schouder, het sleutelbeen in de luwte van een hagelwitte blouse, de hals op z'n langst, verder praten naar de overkant van het tafeltje.

Voor het effect zou hij Dominique wat jonger maken, jonger dan veertig, misschien een kleurtje geven, de grootvader een Cubaan. 'Michèle' leek hem wel iets. De professor voldeed dan weer in alle opzichten aan de visuele connotaties die zijn titel opriep. Al bij zijn binnenkomst, een eind van hem verwijderd, viel het Steegman op dat zijn hoofd voortdurend in beweging was, schichtige rukjes op een iele nek, die hij aanvankelijk aan zijn eigen ooggeknipper had toegeschreven, maar die bij nader inzien benadrukt werden door trillingen in de uiteinden van het grijzende haar. De professor had veel haar, zijn gezicht was erdoor omgeven, bovenaan lang en kroezend, onderaan wijd, vlassig en dun – meer schaamhaar dan baard. Hij droeg een ruim zwart pak op een ruim wit overhemd. Logica en wetenschapsfilosofie. Een vrouwelijke giechel en een volkse tongval hielpen hem dadelijk aan de sympathie van het toehorend publiek.

Eerst had de boekhandelaar iedereen welkom geheten op deze wel zeer bijzondere presentatie. Gewichtig had hij Steegman een plek toegedicht tussen de grootste van de hedendaagse schrijvers. Neen, dat hadden de mensen goed gehoord, hij stak zijn wijsvinger op: een taalgebied had hij niet genoemd. Hij liet een kleine stilte vallen, ruimte voor spontane bijval, die uitbleef. Kort schetste hij het literaire parcours dat Steegman tot nog toe had afgelegd. De wervende quotes die hij op de zaal afvuurde, kwamen bijna allemaal uit onbelangrijke bladen, uit 'besprekingen' waarin men de helft van de flaptekst kon terugvinden. Maar zijn betoog was rond, hield steek, hij had er hard aan gewerkt, en per slot van rekening was het vanavond Steegmans feest; de bloemetjes waren van harte. Daarna kondigde hij aan wat er verder nog zou komen, en leidde hij de professor in, die net bezijden het podium met een kleine buiging Steegmans hand had geschud – 'de auteur'.

Met stijgende verbazing en belangstelling had de professor *De moordenaar* gelezen. Hij typeerde de hoofdpersoon, Ferdinand, het was best om daarmee te beginnen. Ferdinand is een man van drieënzeventig, een weduwnaar, die de snel veranderende tijden niet meer kan bijbenen. Hij wordt en voelt zich ook een vreemdeling, hij trekt zich terug in zijn rijtjeshuis net buiten het historische centrum van de stad. Hij leeft tussen oud papier, zo wordt door de weinige mensen die nog bij hem over de vloer komen naar zijn uitgebreide bibliotheek verwezen: oud papier; het verhaal speelt in de toekomst, naar de professor vreesde, de nabije toekomst. Hij haalde het voorbeeld aan van de kalfslederen schoenen, Ferdinands mocassins, die inmiddels onbetaalbaar zijn geworden. Inmiddels, schreef de auteur haast achteloos, als betrof het een detail, de professor zocht Steegmans blik, inmiddels wordt consumptievlees geproduceerd in immense laboratoriumfabrieken. Geen akkerbezetting door veevoer, en dus meer bouwgrond, geen CO_2-uitstoot, en dus meer ruimte voor auto's, geen mestoverschotten, geen slachtafval, geen ziektes in de voedselketen, en meer goedkoper vlees voor iedereen. Maar ook: geen leder, een onbeduidend randverschijnsel. Het verdwijnen van dierenleed, niet de eerste bekommernis van de overheid, wordt in grote reclamecampagnes, met oud foto- en videomateriaal, afkomstig uit het vijandig kamp, handig uitgespeeld om de protesten en bezwaren de kop in te drukken. En hier zaten we meteen bij de kern van het boek: de morele dilemma's die gepaard gaan met het zoeken naar oplossingen voor de toenemende overbevolking.

Steegman bekeek de gezichten op de voorste rij, gekluisterd aan de lippen van de professor. Was dit de kern van zijn roman? Hij had er nooit zo over nagedacht. Hem was het uitsluitend om Ferdinand gegaan. De rest was als het ware mentaal decor, briljante wolkjes tegen een blauwe hemel boven een kruisafneming. Maar – wie had het ook alweer beweerd – een boek was altijd slimmer dan zijn schrijver. Hij liet zijn mond vollopen met het frisse bitterzuur. Nee, anders: een boek was zo slim als zijn lezer. Een goed boek, welteverstaan. Of had hij dat zelf gezegd?

Met een brede glimlach stelde de professor dat Steegman in *De moordenaar* een vooral literair geniale oplossing voor dit probleem had aangedragen. Straks moest hij hem toch eens vertellen hoe hij bij zijn krankzinnige 'Maatregel' was gekomen, die door de cynische overheid, nota bene onder het mom van de immoraliteit van een dwingende geboortebeperking, werd uitgevaardigd. Hij schudde zijn hoofd; het was zo absurd en de wereld op zijn kop dat het hem na een paar bladzijden schrikbarend aannemelijk had toegeschenen. Men zei wel eens dat grote schrijvers zieners zijn, nietwaar. Enfin. Hij stak het boek omhoog en wees de cover aan. Zagen zij die ventjes, die gezichtjes, hoe ze elkaar in de gaten hielden? Gisteravond had hij dit ontwerp bestudeerd, en lijnen getrokken. Hij kon niet geloven, als professor in de logica, dat het een toevalligheid was, dat elk van deze kopjes precies door evenveel andere bekeken werd. Iedereen hield iedereen in een visuele houdgreep – een beter omslag voor dit boek was ondenkbaar. Ter zake. Hij dacht even na over zijn woorden. Hij zou het publiek een vraag stellen. Stel, en daar wilde hij op deze feestelijke aangelegenheid toch de nadruk op leggen, dit was géén vrijbrief, stel dat het hun was toegestaan, wettelijk, van overheidswege, om één moord te plegen, wie in de zaal zouden zij dan om het leven brengen?

Gegrinnik, gemompel, geroezemoes.

Hij overviel hen met deze uitnodiging, of misschien juist niet! Misschien hádden zij wel iemand in gedachten, al langer dan vandaag, maar vonden zij het niet de moeite waard, of konden zij uiteindelijk niet overgaan tot de daad. Op zich geen probleem, zij werden immers niet gedwongen om te moorden. Maar, en nu kwam de hamvraag, hij streek twee keer zijn baard, hoe wisten zij zeker dat niemand hén zou vermoorden? Of, met andere woorden, zouden zij niet bijna verplicht zijn hun moord te gebruiken, als zij zelf in leven wilden blijven? Hij tekende een cirkel in de lucht, hij stelde zijn vraag opnieuw: indien het was toegestaan, wie zouden zij nú vermoorden.

In het vervolg van zijn toespraak bleef hij opgewonden over de Maatregel, die in *De moordenaar* niet één maar twee moorden behelsde. Hij had het over de perfide agenda van de overheid. De Maatregel zou, met kettingreacties van impulsieve wraak, vooral huishouden in de lagere sociale regionen, de duurste wat betreft uitkeringen en medische zorgen. Uitgaven zouden drastisch dalen, inkomsten uit belastingen per inwoner spectaculair stijgen. De veiligheid zou zelfregulerend blijken. Het vooruitzicht was dat in de eerste jaren, wanneer de meeste moorden werden gepleegd, de algemene graad van beschaving exponentieel zou toenemen, en al na vijf jaar zou resulteren in een moreel superieure samenleving.

Witte wolken.

Over de lotgevallen van Ferdinand en zijn dochter nauwelijks nog een woord van betekenis.

Na de professor, die een uitbundig applaus ontving, was het tijd voor muziek, een cellosuite van Bach, ruimte voor wat contemplatie, gebracht door een conservatoriumstudente, wier scheenbenen merkwaardigerwijs dezelfde kromming vertoonden als haar strijkstok.

De boekhandelaar bedankte haar, 'prachtig!', en ook de professor voor diens enthousiasme. In de voorbereidende lunchmeeting een paar maanden geleden had hij erop aangedrongen, alweer, dat Steegman aan het eind van de voorstelling het podium zou bestijgen om kort iets te zeggen; de mensen verwachtten dit op zo'n avond, zonder was het niet helemaal af. Hij kondigde de receptie aan, aangeboden door zus en zo, maar niet alvorens de auteur het laatste woord te geven. Dames en heren, Emiel Steegman!

Hij zocht houvast aan de randen van de metalen katheder, leunde op zijn armen, richtte zijn hoofd op. Deze houding, voelde hij, zag er, bij toeval, nonchalant uit, in het bijzonder wanneer de spreker geen papier bij zich had. Hij zag iedereen en nog niemand en hoorde de tekst die hij de voorbije week had ingestudeerd uit zijn mond vloeien. Het zou ook hem sullig hebben toegeschenen om een praatje van nipt drie minuten met niets dan algemeenheden van een blaadje af te lezen, een optreden waarvan men nu moest denken dat de schrijver welbespraakt improviseerde; hij acteerde, hij vertolkte een Steegman die nooit zou bestaan. In de lange bar achter het publiek, met loungeachtige verlichting, zag hij het personeel stil in de weer met het vullen van glazen, onder zijn woorden hoorde hij het snelle, korte klokken, jonge mensen, studenten allicht, in hun eerste witte overhemd en zwarte geklede broek, door Julie vakkundig opgedragen om de wijn pas op het allerlaatst te schenken, halve glaasjes – lauwe witte wijn lust niemand. Op kousenvoeten sloot zijn redacteur aan bij het publiek, vertraging opgelopen in het verkeer, hij kwam van ver, een correcte man, geen laatkomer. Hij vouwde zijn jasje over de arm en schonk zijn auteur, zonder contact te zoeken, toegewijde aandacht. Steegman had geen reden paraat waarom de man hem naar het leven zou staan, omgekeerd al evenmin, maar dat zijn hypothetische moordenaar in dit gezelschap vertoefde, was erg waarschijnlijk. Hetzelfde gezelschap dat in een sober zaaltje van een uitvaartcentrum een laatste keer bijeen zou komen voor zijn échte begrafenis. Sinds de geboorte van Renée was de populaire fantasie om tijdens de plechtigheid als een alziende geest boven je eigen kist te zweven bij Steegman uitgebleven. Zijn bleek, huilend kind tegen de zijde gedrukt van haar versufte moeder, het zou het plezier van de dagdroom vergallen; hij wilde niet de oorzaak zijn van haar verdriet. Hún verdriet. Eergisteren had hij Renée in de hoek gezet, een poging om haar koppigheid en theater te doorbreken, hij zat in dezelfde kamer, in stilte, en wachtte tot zij zou bedaren en stil worden en gehoorzaam haar gezicht naar de muur keren, en toen het stil werd, keek hij op zijn horloge, dacht: minstens drie minuten, beter vijf, hij was haar vader, hij moest haar opvoeden, en toen zag ze Beer in de stoel liggen en begon het uitzinnige geschrei opnieuw, Beer, ze wou Beer, háár Beer, hij wist niet of ze het meende of Beer als wapen gebruikte in hun krachtmeting, en als ze echt verdrietig was – ja, ze was echt verdrietig – kon hij haar dan, midden in haar straf, 'belonen' met Beer? Was dat niet een verkeerd signaal, dat hem later zuur zou opbreken? Ze trappelde en huilde haar adem op, hij bleef zwijgend voor zich uit kijken, of beter, naar die slappe vod van een knuffel, die in staat was om zijn gezag te ondermijnen, en toen schreeuwde hij dat ze stil moest zijn, dat ze moest ophouden met het gesnotter, hij schreeuwde het uit, hij wilde haar overdonderen met zijn woede, niet zozeer om haar gedrag aan tafel, dat niettemin de oorzaak was van dit drama, maar omdat haar verdomde koppigheid hem nu dwong haar dit verdriet aan te doen; hij schreeuwde zijn liefde uit, die ze niet herkende, ze was nog geen vier, ze zou de donder en de stilte onthouden, de stilte van de man op de bank achter haar rug, zijn onbegrijpelijke wreedheid. Hij voelde het ooggeknipper toenemen, terwijl hij zijn typemachine bedankte voor de trouwe dienst, grappig bedoeld, een luchtige toets, maar nu met een ondertoon van ontroering, de indruk dat hij hard tegen zijn tranen vocht, hij zag het op het gezicht van de mensen, van Marie, die met haar broer leek mee te knipperen, de uitputtende eenzaamheid van het schrijven, de bovenmenselijke inspanning plots voelbaar gemaakt met een simpel woord van dank aan het edel instrument dat hem elke seconde van de beproeving had bijgestaan, en dat misschien wel hierdoor, bij een onverhoeds verscheiden, morgen, volgende week, verkeersongeval, beroerte, moord, samen met hem begraven zou worden, het leed geen twijfel, hij zou het zo hebben gewild, Marie, in het sobere zaaltje van het uitvaartcentrum, een eerste lezing, met deze toehoorders, die zich allemaal het dankwoord op de boekvoorstelling herinneren, een schrijver, een echtgenoot, een vader, maar ook een broer, centraal in haar tekst de anekdote die ze zich zelf niet kan herinneren, over haar verdrinkingsdood, een peuter op het erf van haar grootouders, het betonnen deksel van de waterput in het verschroeide gras, haar jongste oom, zestien, in de winter zal hij sterven naast zijn Yamaha, gooit met krachtige armen emmers water in het rond, blust de hete zomer, plaagt zijn neefje van zes – het zwembroekje, misschien een woord over het sponzen zwembroekje – en vergeet zijn nichtje, ze klampt zich vast aan het spreekgestoelte, en opnieuw dankt ze haar leven aan haar broer, een mirakel, hij hoort iets, voelt iets onder de grond, haar gevecht, een gemoffelde schreeuw, een zesde zintuig, en vraagt zijn speelse oom, die prachtige, ontluikende man, net op tijd waar zijn zusje is gebleven, zwijgt daarna vijftien jaar over het voorval omdat zijn oom dat heeft gevraagd, haar broer, niemand kan mooier zwijgen dan haar broer, ze huilt en vermant zich en loodst Tereza door de onmogelijke dag.

Na zijn laatste woord zag hij haar, Marie, met de handen boven het hoofd applaudisseren, iemand floot tussen zijn tanden, de gewassen studenten begaven zich met volle dienbladen onzeker onder de mensen; zijn roman was nu niet meer van hem maar van hen.

Dominique stond Steegman glimlachend onder aan het podiumtrapje op te wachten. Ze kuste hem, eenmaal, ze wreef over zijn rug als bibberde hij van de kou. Ze begeleidde hem naar de stoel aan het tafeltje, waar een vrouw zenuwachtig haar pas gekochte boek weer uit het plastic draagtasje haalde. Meteen signeren, had de boekhandelaar hem ingeprent, zo werden de mensen snel naar de stand gelokt. Anders verwaterde de boel maar, en kon hij pas na twaalven opkramen. Steegman vond het een goede strategie en een praktische regeling, en – zolang hij niet over namen struikelde – een aangename verplichting, want aan de signeertafel bleef, vanwege de rij wachtenden, de conversatie kort en oppervlakkig. Kinderen, huizen, jobs, een film, een reis, hoogrendementsglas. Met veel, met de meesten van deze mensen, strekte zijn relatie niet verder dan een signeerbabbel. Ze spraken af om straks, na de toeloop, verder te praten, een manier om het doodbloedende gesprek hoffelijk te beëindigen. Als gastheer kreeg hij iedereen te zien en te spreken, en was de succesvolle avond in een zucht voorbij.

Dit keer was het niet anders. Kort na elven liet hij zijn vulpen in zijn binnenzak glijden en zag de overblijvenden gegroepeerd rond een zestal hoge tafels, beladen met glazen. Ze hadden het prima naar hun zin. Steegman strekte de benen en praatte nog wat met zijn redacteur, die al een tijdje naast hem zat, tot een klap op zijn schouder hem abrupt onderbrak; een dronkenlap, dacht hij.

Toen hij zich omdraaide, keek hij in de heldere, blauwe blik van een gedrongen type. Flanellen overhemd, bosgroen donsjack. Geamuseerd vroeg hij Steegman hoe het ging, het dialect kwam uit het reservaat. Facebook. Bij het uitspreken van het woord sloeg zijn hoofd achterover, een soort tic. Hij had de aankondiging van de boekvoorstelling gezien op Facebook. Steegman aanvaardde iedereen als vriend, potentiële lezers, wie het kleine niet eert. Jürgen, de man beweerde Jürgen te zijn. Er was op de ogen na niets van de jongen die hij gekend had, overgebleven, met huid en haar door de tijd opgepeuzeld. Een man, bovendien, die zijn leeftijd oud maakte. Na het uitgebreide relaas van zijn vechtscheiding begon hij zonnepanelen te installeren. Eenmaal zijn bedrijfje doorgelicht, viel er een stilte, en vroeg hij retorisch waar de tijd van vroeger was, opnieuw geamuseerd, misschien toch de drank. Hij had stompe tanden en bleek tandvlees. Steegman kon nooit raden wie hij gezien had, een week of twee geleden. Wist Steegman wie hij gezien had? Hij gaf hem een klap op zijn bovenarm. 'Ik heb Sandra gezien. In het glazen straatje...' Hij zette een stap achteruit en schonk Steegman een vette knipoog.

Was hij zo kinderlijk gebleven, of kwam hij van zo ver, dat zelfs de alom bekende en maar weinig verhullende verbloeming voor de hoerenbuurt hem een knipoog ontlokte? Of stond hij, via Sandra, mannen onder elkaar, te snoeven dat hij de hoeren had bezocht? Hij bedoelde toch niet dat hij Sandra achter een raam had gezien?

Sandra, een prostituee?

Steegman weigerde in te gaan op de mededeling van Jürgen, alsof hij het lot van Sandra niet uit handen wilde geven, niet aan die man. Hij liet ruimte voor zijn redacteur om tussenbeide te komen, voelde dat deze afscheid zou nemen, het was een eind rijden. En in zijn kofferbak staken vijftien auteursexemplaren van *De moordenaar*. Zoals afgesproken zou Steegman wel even meelopen.

13

 heeft een geheim.

14

Het was de eerste dag van de zomervakantie, het was grijs, het miezerde. Iedereen zou binnenblijven. Renée keek naar Assepoester. Rechts naast het stenen tuinhuis, links was de kippenren, vond Steegman beschutting tegen het vocht, de bries en ongewenste blikken. Hij maakte proppen, het papier brandde even goed en nam niet plots een hoge vlucht.

T had hem vannacht wakker geschud en ingefluisterd niets aan het toeval over te laten. T het wél laten doen, en zelf alles bij het oude laten, dat was de goden verzoeken. Alles waar hij T voor vrijwaarde, hoe onwaarschijnlijk ook, kon hemzelf overkomen. Was hij overigens niet het hoofdpersonage in een boek dat gebaseerd was op het leven van Steegman, vrijde hij niet met zijn vrouw, zorgde hij niet voor zijn kind? Hij had zijn idee wortel laten schieten in de werkelijkheid, hij mocht niet vergeten om het water te geven. Juist een roman die de obsessie met de realiteit en het waargebeurde, met het verhaal achter het verhaal, aan de kaak stelde, zei T, kon hij niet zomaar aan zijn verbeelding overlaten; het zou doorleefd moeten zijn om geloofd te worden.

Om tien over vier zat Steegman met koffie voor zijn computer. Hij stelde zorgvuldig een zorgeloos klinkende e-mail op, die hij verstuurde naar de mensen met wie hij regelmatig contact had, een dringend verzoek om al zijn oude berichten te wissen. Hij bestudeerde de instellingen van zijn Facebookpagina, hij had anderen afscheid zien nemen, het kon, een digitaal molenslot. Had hij niet gelezen dat er een bedrijfje bestond dat zich hierop toelegde, een opruimdienst? Met de klik op de Googlebalk lichtte in zijn geest het oneindige slijmspoor op dat hij jarenlang door het internet had getrokken; elk bezocht adres werd nu eenmaal geregistreerd, elke zoekterm. Een DNA-keten, die het voor een wetenschapper of een handige jongen mogelijk zou maken om zijn leven te reconstrueren. Van dag tot dag.

T heeft geen computer. Hij leest de krant, kijkt tv, hij schrijft een brief. Hij heeft een vaste telefoon, met een draaischijf, lang voor het weer mode is. T wil niet gefilmd worden. Hij is de enige schrijver van zijn tijd die wereldberoemd is geworden zonder op de televisie te verschijnen; hij is ook hierom wereldberoemd. De camera is objectief, maar hij wordt bediend door mensen. T is geen politicus of acteur, hij is niet toegerust om zijn mannetje te staan in de wederzijdse manipulatie van het beeld, en hij weigert zijn kwaliteit als schrijver in het oog van het publiek hiervan te laten afhangen. Het zou oneerlijk zijn. Wie zich vandaag nog laat verleiden en denkt dat het een eer is om gefilmd te worden, dwaalt. De beeldtoevloed heeft ons niet geleerd om beter te kijken, maar om sneller te oordelen. Telefoonfilmpjes gaan met de snelheid van het licht de wereld rond, maken of kraken iemand. Big Brother heeft zich van tiran ontpopt tot neoliberaal, duur betaald in duizendmiljoen broekzakken.

Steegman legde een baksteen op de stapel papier, die ongeveer een halve meter hoog kwam, en ging in het tuinhuis het klapstoeltje halen. De langste, blinde muur was voorzien van betonnen schappen met dwarsstukken, hokken voor kleine huisdieren, misschien konijnen, misschien legnesten voor kippen, ruimbemeten dan. Hier en daar brokkelde het steen af, en waar de bewapening aan de vochtigheid was blootgesteld, schilferde het roest. Hij had het altijd een naargeestige plek gevonden, ook voor het armbandje opdook, een week geleden, tastend naar de snoeischaar in een van de hoge hokken. Verbleekt oranje plastic, speelgoed uit een dokterstas: het bandje had een raampje, maar de inkt op het strookje papier was vergaan, op één vage verticale streep van de beginletter na.

Hoe iemand een hoofdletter V schreef, kon nogal verschillen. Tereza wist zeker dat het bandje niet van Renée was.

Hoe kwam het zo hoog en diep in de vakken terecht, als niet iemand het opzettelijk daar had neergelegd? En waarom zou iemand het daar met opzet neerleggen? Om het te laten verdwijnen bestonden betere methoden. Het moest de bedoeling zijn geweest om het te verstoppen. Maar in een verdwijningszaak zou de politie zich toch de moeite hebben getroost om er een ladder bij te halen en de hoogste vakken te onderzoeken?

De klimop tegen het oude baksteen van het tuinhuis deed hem denken aan de Britse misdaadserie op zaterdagavond, gesitueerd in en rond een lieflijk plattelandsdorp. Er waren twee of drie moorden per aflevering, nooit angstaanjagend, dikwijls ingenieus, gepleegd door upper-middleclass of beschaafd huispersoneel, een kluwen van relaties en motieven, daar ging het om. Was de voormalige bakkersfamilie in zo'n kluwen verstrikt geraakt? Vermoedde de ene helft van het dorp waar de andere helft over zweeg? En behoorden François en Arlette tot geen van beide?

De speling van het lot was op zijn minst opmerkelijk: een identificatiebandje, hier, van een spoorloos verdwenen kind.

Terwijl een prop helemaal opbrandde in de terracotta sierpot, las hij stukjes van het volgende blad. De kans dat dit ooit iets waard zou zijn, een kleine nalatenschap voor Renée, was nihil. Eindeloos herschreven paragrafen. Tientallen bladzijden prietpraat, geschreven onder het testen van een pas verworven typemachine, of gewoon om te tikken zonder te schrijven, voor het plezier – vooral dit zou onweerstaanbaar materiaal zijn, waarmee om het even welke stelling bewezen kon worden. Men zou er de stem van zijn onderbewustzijn in horen, opgetrommeld in een onbewaakt moment. Documenten die zijn ware gelaat onthullen, zoals de lijkwade van Turijn het gezicht van Jezus Christus.

15

'Papa!' Renée vloog om zijn benen, hij kreeg de kans niet om binnen te komen. Maar één ogenblik had hij haar opgewonden gezicht gezien. Hij vond het vreemd hoe ze na twee nachten logeren bij oma veranderd leek te zijn, een illusie, iets met het haar, met het licht. Oma, zijn moeder, stond op het einde van de gang te glunderen in de deuropening. Ze zei dat ze braaf was geweest. Was ze braaf geweest? Renée knikte zonder haar greep om zijn benen te lossen.

Zijn hele jeugd, en eigenlijk ook nog toen hij al volwassen was – zolang hij hier had geleefd, was dit zijn favoriete moment van de week: vlak voor de middag op zaterdag, het zonlicht door het langwerpige keukenraam, de hitparade op de radio, zijn moeder die de frietjes sneed, de sla waste, met de molen peperbollen vergruizelde boven de paarsrode biefstuk in het opengevouwen, geruite papier. Hij zat met zijn dochter aan dezelfde tafel als toen. Ze aten uit dezelfde borden met hetzelfde bestek. Hij kon niet ophouden stiekem naar haar te kijken. Ze at zo smakelijk en geconcentreerd als alleen een kind dat kan. Vochtige lippen, getuite mond, elke hap proevend. Zelfgemaakte mayonaise, geel en vast.

Een vlakke rit, zei zijn vader. Aankomst in Toulouse, een kolfje naar de hand van Cavendish. Steegman zou graag blijven en kijken met zijn vader; de heerlijke lijzigheid van een vlakke Touretappe. De tijd verzitten. Niets hoeven. Vakantiebeelden en een massaspurt. Maar om halftwee moesten ze terug zijn. Renée werd verwacht op het verjaardagsfeestje van Amélie, haar vriendinnetje. Haar cadeau moest oma nog inpakken: prinsessenpapier en een grote strik met glinstertjes. Daarna wou Renée haar haar in een paardenstaart.

In de auto kreeg Steegman het lastig. Hij had te veel gegeten en drie pilsjes gedronken. Een groepje van vijf onbekenden reed acht minuten voor het peloton uit. In gedachten zag hij de bontgekleurde groep in blok over een brede weg schuiven. Renée zat ongemakkelijk recht in haar stoel, ze weigerde achterover te leunen en te dutten, niet met haar paardenstaart. Even later hing ze als een voddenpop schuin naar voren. Ze waren bijna in het dorp, ze waren bijna op het feest van Amélie, waar Renée zo naar uitkeek, toen ze ontwaakte en trots en blij verkondigde: 'Papa, ik heb geslapen!' Ze reden door een groen en glooiend landschap, op de radio Kylie Minogues zomerhitje, met in het refrein: 'You got it! You're wa-wa-wa-waw!' Alletwee zongen ze mee, Renée de klanken nabootsend, ze klapten in hun handen, dansten in hun stoel en lachten naar elkaar in de binnenspiegel.

Voor zijn fiets draagt hij zorg. Zonder fiets heeft hij niets te betekenen, is hij hulpeloos als een cowboy zonder paard. De afstanden in de wijk zijn niet onoverbrugbaar zonder, maar omdat de anderen wel fietsen hebben zou hij steeds achterkomen. Hij zou achter hen aan moeten lopen, met de vrees dat, eenmaal het neergestreken groepje bereikt, zij plots, verveeld, beslissen om een andere plek op te zoeken en zonder dat hij hen kan tegenhouden op de fiets springen en verdwijnen. Voor de oudste extra vernederend. Hij heeft het niet in zich om hen zonder fiets zijn wil op te leggen. Niemand heeft dat. De fiets is oppermachtig, altijd in de meerderheid. Een lekke band en de dag is om zeep. Je moet hopen op een zitje op iemands bagagedrager, maar er wordt op niemand gewacht, je moet de gang van zaken voor zijn, tijdig springen, en de overeenkomst kan op elk willekeurig ogenblik eenzijdig verbroken worden. Hij heeft zijn fiets van zijn opa gekregen, bij zijn vormsel, zes versnellingen, hij is in de wolken. Beheyt, Benoni Beheyt, de man was ooit wereldkampioen, nu heeft hij een fietswinkel; zijn naam staat handgetekend op de horizontale buis van het kader. Maar als ze sprintwedstrijden houden is hij Freddy Maertens. Halfweg de straat heeft hij zijn achterstand goedgemaakt, bij de finish gooit hij beide armen hoog in de lucht. Ze sprinten, ze rijden tegen de klok (blokje om) en ze 'dwingen', waarbij het de kunst is om je evenwicht te bewaren, om je in een positie te manoeuvreren waarbij je de tegenstander tegen de trottoirband dwingt en hem voet aan de grond doet zetten. Sur place.

Op achttien kilometer van de streep werd Steegman met een schok wakker. Het peloton hield de voorsprong van de vluchters op vijfenveertig seconden, binnen bereik, de koers was onder controle. Het was na halfvijf, het afgesproken uur om Renée op te halen van het feestje. Hij lag met zijn voeten in de lucht op de tweezitsbank. De etappe had vertraging opgelopen, er stond een sterke tegenwind. Hij wist dat Cavendish zou winnen, iedereen wist het. Hij wachtte uit luiheid. Nu hij alsnog de kans kreeg om de aankomst te zien, wou hij kijken.

Mieke en Paul, de ouders van Amélie, woonden aan het andere einde van de straat, het hoge einde, in een bocht. Hij besloot om te voet te gaan. Nog wat ijl in het hoofd van het slapen voelde hij zich niet in een stemming om een gesprek aan te knopen. Hij hoopte dat Renée meteen, zonder gezeur, mee zou komen, dat het middagprogramma inmiddels afgewerkt was, dat hij geen poppenkastvoorstelling zou moeten verduren.

'Ze slaapt.'

Hij keek naar het gezicht van Mieke en wachtte voor de drempel. Hij kende haar niet goed genoeg om haar glimlach te lezen. Renée die sliep op een verjaardagsfeestje?

'Ja, echt, ze slaapt.'

'Dat meen je niet.'

'Nog maar een kwartiertje of zo.'

'Ze is zelf komen vragen om te slapen?'

'Kom toch binnen.'

Rond de eettafel in het voorste gedeelte van het huis was

de familie verzameld. De meesten hadden hun stoel wat naar achteren geschoven. De taart was, op een verbrokkelde punt na, opgegeten, naast de koffiekopjes van de mannen stonden glazen bruin bier. De ouders van Mieke zag hij soms aan de schoolpoort; ze kwamen hem de hand schudden.

'Ze slaapt,' zei de vrouw, half vragend.

'Ik hoor het net van Mieke. Ze zal moe geweest zijn, de drukte misschien. Vreemd.'

'Slaapt ze bij jullie nog 's middags?'

'Al bijna een jaar niet meer. Of heel kort. Daarnet in de auto, een kwartiertje, twintig minuten, niet langer. Maar 's middags in haar bed slapen, nee, het moet een jaar geleden zijn.'

'Slapen kan natuurlijk nooit kwaad,' zei de man.

Ook familieleden of vrienden die aan tafel zaten, stemden in. Als een kind wilde slapen, zei een andere vrouw, mogelijk de moeder van Paul, die als militair op een buitenlandse missie was, als een kind wilde slapen, dan was het moe. Simpel.

'Hoe meer ze slapen,' grapte iemand, 'hoe beter.'

Het was vreemd, bracht Steegman in, omdat ze al zo lang had uitgekeken naar het feestje. Hij kon zich niet herinneren dat het ooit was voorgevallen, op bezoek of op een feestje. Zelfs niet bij familie. Zij kregen haar niet meer in bed, al was ze doodop, daar was juffrouw te groot voor.

'Ze ligt niet in bed,' zei Mieke. 'We hebben haar hier gelegd, bij ons.'

In het middengedeelte was de salon ingericht, achteraan de keuken. Mieke stond naast de bank, waarin Renée zich stilhield onder een licht dekentje met Winnie de Poeh erop. Het leek hem zo goed als uitgesloten dat ze sliep, hier, in een kamer gevuld met onbekende mensen. Misschien had ze de aandacht willen trekken toen ze maar weinig aandacht kreeg, het was tenslotte Amélies feestje. Lachend stapte hij op haar toe, ze had haar act volgehouden toen hij al in de kamer stond en ze zijn stem hoorde, toen iedereen over haar begon te praten. Hij veegde zacht het haar van haar voorhoofd. Ze hield haar ogen gesloten. Hij zei haar naam, dicht bij haar gezicht, kuste haar op de wang, rook snoepgoed.

'Ze hebben zich rot geamuseerd,' zei Mieke. 'Dieter was er bijna de hele middag bij.'

Niemand onder de aanwezigen maakte zich bekend als Dieter. Nu pas hoorde hij buiten, in de tuin, kinderen, een paar. De keuken had alleen een zijraam, naast de open deur met een hor ervoor. Steegman zei opnieuw haar naam, dat ze wakker moest worden, dat ze naar huis gingen, kom, schatje. Hij schudde lichtjes aan haar schouder.

'Twintig minuten geleden,' zei Mieke. 'Ze kwam binnen en trok aan de arm van Dieter, ze zei dat ze iets voelde aan haar rechterbeentje en begon te huilen. Maar er was niets te zien aan haar been. Toen heb ik haar in mijn armen genomen en een beetje getroost, en ze is meteen in slaap gevallen. Het was na halfvijf. Ik dacht, Emiel komt zo, ik bel hem maar niet op. Ze sliep rustig.'

Samen met Steegman onderzocht ze het rechterbeen van Renée. Geen wonde, geen blauwe plek. Er was niets te zien.

'Kom, schat. Wakker worden.' Hij sprak met zijn normale stem. Hij schudde aan haar schouder. 'Als je wil kun je thuis nog wat in je bedje slapen.'

Hij nam plaats op de rand van de oranje bank en hees haar op zijn schoot, maar ze weigerde om recht te zitten en liet haar gewicht hangen. Ze fronste, maakte een kreunend geluidje en leek alweer diep te slapen.

In de keuken verscheen Amélie, ze droeg een gouden kroon. De jongeman die haar volgde, moest Dieter zijn. Ze bleven op een afstand van het tafereel. Amélie vroeg haar moeder of Renée nog sliep. Elise, het jongere zusje van Amélie, kwam ook binnen. Iedereen in de huiskamer keek naar haar, ze huppelde neuriënd naar de hoek van de keuken, naar de grote koelkast van geborsteld aluminium. Ze haalde een roze gekleurd kartonnetje uit de deur, waaruit een roze rietje stak. Haar geneurie haperde slechts bij het slikken.

Steegman legde zijn dochter op de bank, dekte haar toe. Hij herinnerde zich de nacht, onlangs, toen hij haar had horen praten. Hij snelde naar haar kamer, ze zat rechtop in bed en keek hem boos aan. Ze zei iets over mannen in zwarte pakken, maar op zijn vragen gaf ze geen antwoord. Het had hem toegeschenen of hij de verkeerde vragen stelde, ze wachtte op de goede, hem aankijkend of ze hem maar net kon tolereren. Plots viel ze als het ware om en sloot haar ogen.

'Als ze echt diep slapen krijg je kinderen moeilijk wakker,' zei een bebaarde man aan tafel, terwijl hij zich omkeerde naar de vrouw naast hem. Zij begon over het kleinkind van haar buurvrouw, over vuurwerk boven hun huis op oudejaarsavond, over die ene ontploffing die het glas uit hun dakvenstertje had geblazen, en hoe het kind, Alexander, een jaar of twee ouder dan Renée, in het huis ernaast gewoon was blijven slapen.

'Laat haar nog een beetje,' zei de vader van Mieke.

'Geef Emiel een kopje koffie,' zei haar moeder. 'Neem je melk of suiker?'

'Zwart is goed,' zei Steegman.

'Zwart,' zei haar moeder.

Dieter kwam op de salontafel zitten. Hij keek met zijn hoofd schuin naar Renée. Hij zei dat ze de hele middag had gespeeld. Om zijn hals had hij een bruinlederen koordje geknoopt, zonder sieraad. Een twintiger, actief in een jeugd- of natuurbeweging. Terwijl enkele van de mannen aan tafel de sprint van Cavendish bespraken, zei Dieter dat hij niets aan haar beentje had gemerkt. Ze voelde iets, zei ze, maar het was geen jeuk, geen pijn. Ze had een beetje gehuild en was in de armen van Mieke in slaap gevallen.

Samen met Dieter keek Steegman naar Renée. Hij streelde de zijkant van haar hoofd. Was ze toch theater aan het spelen? Waarom hield ze halsstarrig vol? Was dit een blijk van haar verontwaardiging, een verwijt? Was hij haar doelwit? Maar ze had de hele middag vrolijk gespeeld. Ze had aandacht gekregen van Dieter.

Mieke hield een kopje van dik porselein onder de tuit van een thermoskan, die centraal op de eettafel stond. Door verschillende keren op de grote knop in het deksel te drukken, pompte ze een restje koffie op. Ze bracht het kopje op een al even dik schoteltje tot bij de uitgestoken hand van Steegman. Ze wachtte. Was de koffie nog warm genoeg? Wist hij het zeker? Het was een kleine moeite om nog wat koffie te zetten. Hij wist het zeker. Hij zette het schoteltje naast Dieter op de salontafel. Hij wilde naar huis.

Zonder iets te zeggen tilde hij Renée op zijn schoot. Er viel een stilte, hij wist dat iedereen aan tafel toekeek. Hij drukte haar aan zijn borst, haar benen lagen in een vreemde draai naast hem. Ze omhelsde hem niet. Hij moest haar hoofd ondersteunen.

'Renée. Wakker worden!'

Hij gaf tikken op haar wang.

Ze protesteerde, er kwam een raar, haast dierlijk geluid uit haar keel. Met een vertrokken gezicht en mond zocht ze naar een comfortabele positie. Ze zocht de slaap.

'Kom,' zei Steegman ferm. 'We gaan naar huis.'

Renée sliep. Tussen haar wenkbrauwen lag een diepe, ontevreden rimpel. Op haar oogleden zat een lichtgroene schijn.

Er klopte iets niet.

Hij keek Mieke in de ogen en zei: 'Dit is niet normaal.' Hij schrok van zijn woorden, van zijn ernst, meer dan Mieke. Hij voelde zich rood aanlopen. Hij wilde deze familie op hun feest niet tot overlast zijn. Maar hij voelde dat Mieke, moeder van jonge kinderen, precies voelde wat hij voelde. Ze had het allicht al langer gevoeld, wie weet meteen, maar Renée was uiteindelijk gewoon maar in slaap gevallen, en haar vader zou dadelijk komen.

Dieter maakte zich stilletjes uit de voeten.

Mieke nam zijn plaats in, nadat ze Steegman had geholpen om Renée weer goed op de bank te leggen; ze rustte nu met haar hoofd op zijn linkerdij. Hij vertelde het verhaal over haar nachtelijke boosheid, hij vertelde het zodat ook iedereen aan tafel het kon horen. Het was het enige waar hij aan dacht, dat ze net als toen in een heel diepe slaap was gegleden, waaruit ze binnenkort zou ontwaken.

'Ik denk het ook,' zei de vrouw van de bebaarde man. 'Het is haar een beetje te veel geworden, ze moet even alles uitschakelen.'

'Een kind dat wil slapen hou je niet tegen,' zei de man zelf.

De gesprekken aan tafel leefden op, kruisten elkaar, de eigenaardigheden van kleine kinderen stonden centraal. Zij zaten daar, Mieke en Steegman hier. Het was of Renée voor de pratende mensen ophield te bestaan. Ze speelden met het dessertbestek, namen een slok bier, vertelden verhalen op een toon die ze ook zonder Renée hadden aangeslagen. Een weeë leegte sloeg neer op zijn ingewanden. De smaak van flauwe koffie bedierf zijn mond. Hij probeerde het weg te slikken, hij wilde nadenken. Ze had geen koorts. Ze ademde. Ze sliep. In een vreemde kamer, tussen vreemde mensen, 's middags. Hij keek Mieke aan. Zij antwoordde:

'Wil je dat ik een dokter bel? Zal ik de dokter bellen?'

Een nieuwe stilte trad in.

Waarom werd Renée niet wakker?

Hij verliet de bank, hij nam zijn dochter onder beide oksels en tilde haar op. Hij herhaalde haar naam, gebiedend, probeerde haar te doen staan. Meer dan de uitdrukking op haar gezicht of ze aan een moeilijk vraagstuk dacht, waarbij ze, met de ogen gesloten, niet gestoord wilde worden, bereikte hij niet.

'Bel Mark,' zei Mickes moeder. 'Je hebt toch zijn mobiel nummer? Hij zal meteen komen. Mark komt bij ons allemaal,' zei ze tegen Steegman. 'Ik denk niet dat hij wachtdienst heeft dit weekeinde, maar als Mieke hem belt, zal hij meteen komen. – Bel hem maar. Mark vindt dat niet erg.'

'Het is misschien niet nodig,' zei Steegman. 'Ze zal nu stilaan wel wakker worden.'

Hij drukte haar tegen zijn borst. Hij verontschuldigde zich. Dit was nooit eerder gebeurd, op die ene keer na, 's nachts. Ze moest gewoon uit haar trance breken. Dat was alles. Ze hoorde ons niet.

Mieke ging in de tuin de dokter bellen.

Steegman hield zijn dochter van bijna vier als een baby in zijn armen. Hij zat op een oranje bank, bij de verste armleuning. Het oranje van de fauteuil was niet meer hetzelfde als dat van de driezitsbank. Dikke, grove, duurzame stof. Op de schoorsteenmantel van de dichtgemaakte haard hing een verzameling blankhouten lijstjes, foto's en reproducties, centraal in het allegaartje herkende hij de kleuren en de rust van Edward Hopper. Hij wou de vrouw in de treincoupé zijn, piekfijn uitgedost, verscholen onder een hoed, verdiept in een boek. Alleen. Alleen met Renée, weg van de mensen rond de tafel, die aarzelend over haar begonnen te praten, gedempt, hoe vrolijk ze gespeeld had, lachend was binnengelopen, hoe ze rond Dieter had gedraaid. Ze had geen minuut gehuild voordat ze in slaap viel. Iemand had nog bij zichzelf gedacht: wat een opgewekt kind is dat.

'Ik heb Mark aan de lijn gehad,' zei Mieke, licht buiten adem. 'Hij komt meteen. Tien minuten, maximum.'

De tafel reageerde opgelucht. Mark was op komst. Steegman probeerde hun opluchting te delen. Hij concentreerde zich op het gezicht van Renée. Hij boog zijn hoofd en fluisterde dat er een dokter kwam, maar dat ze nog altijd haar oogjes mocht opendoen, en dan gingen ze gewoon naar huis. Papa zou niet kwaad zijn. Hij beloofde het. Beloofd was beloofd.

Na een tijdje kwam Miekes moeder naast hem zitten. Ze legde een hand op Renées knie en strekte zich om het meisje te bekijken. 'Hij woont net buiten het dorp,' zei ze. 'We mogen hem altijd bellen. Het zal niet lang meer duren.'

Toen ze pas, met enige moeite, uit de bank was opgestaan, klonk de deurbel. Ze stak een vinger omhoog. Iemand aan tafel antwoordde met hetzelfde gebaar.

Mark droeg vrijetijdskledij: een gestreept polohemd en een bleke jeansbroek. Hij was een van die gezaghebbende vijftigers die in alle opzichten baat hebben bij hun doordeweekse, donkere pak. Hij kwam binnen met een vage groet aan iedereen, Steegman keurde hij geen blik waardig. Knorrig wellicht door de oproep, vroeg hij: 'Wat hebben we hier?' Hij zocht Mieke. 'Wat is er precies gebeurd?' Hij zette zijn hoekige koffer naast Steegmans voeten op het tapijt; de koffer, het polohemd, de jeans: een leurder met messen uit het voormalige Oostblok.

Mieke deed het relaas van de middag, diep nadenkend of ze niets vergat. Intussen luisterde de dokter naar Renées hart. Hij controleerde haar bloeddruk, trok haar oogleden op en scheen met een lampje in haar pupillen. Hij bekeek haar been. Hij zocht in haar haar naar een hoofdletsel.

Steegman vertelde over de bewuste nacht, de trance.

Toen viel alles stil.

De dokter zat op zijn knieën bij zijn geopende koffer en keek zwijgend naar Renée zoals iedereen in de kamer.

'En u krijgt...'

'Renée,' zei Steegman.

'Renée. U krijgt Renée niet wakker?'

'Ze kreunt,' zei Miekes moeder. 'Dat wel.'

'Ze heeft haar ogen nog niet opengedaan,' zei Steegman.

De dokter gaf drie snelle klappen op haar wang en riep haar naam in haar oor. Daarna vroeg hij Steegman om haar op het tapijt te laten staan. Ze zakte in elkaar. Het keelgeluid was klaaglijk. Ze klauterde naar de warmte van haar vader en verdween weer in de diepte.

'Ik zie niets,' zei de dokter. 'Laat haar maar uitslapen. Ze wil overduidelijk slapen. U kan in de loop van de week een EEG-scan laten maken in het ziekenhuis, misschien is er iets te zien. Ik denk dat er weinig aan de hand is.'

'Maar ze wordt niet wakker,' zei Steegman.

'O, maar ze was wakker, meneer, daarnet.' Hij maakte zijn koffer dicht. 'Ze is moe.'

'Ze slaapt nooit 's middags. Niet meer.'

'Nu wel. Nu is ze te moe om niet te slapen. Op een EEG zullen we zien of er iets is. Ik kan niet in haar hoofd kijken. Laat uw huisarts maandag een afspraak maken, dat lijkt me het beste.'

De dokter schreef een bewijsje voor de ziekteverzekering, scheurde het van het blok met carbonpapier en legde het op de salontafel. Voordat Steegman kon zegggen dat hij geen geld bij zich had, zocht Mieke haastig naar haar portemonnee en betaalde Mark. Haar ouders liepen mee de gang in, bedankten hem intussen uitvoerig voor zijn bezoek op zaterdag.

In de kamer wachtte men op de terugkeer van het drietal dat hen deze middag met elkaar verbond.

Renée lag dwars over zijn benen, haar hoofd rustte op zijn rechterarm. Met zijn vrije hand peuterde hij zijn mobiele telefoon uit zijn broekzak. Hij besloot om een tekstbericht te sturen; kreeg hij Tereza aan de lijn, dan zou hij alles moeten uitleggen. Misschien begreep ze hem verkeerd en raakte ze in paniek, en reed ze iemand aan. Rond deze tijd moest ze hoe dan ook in de buurt van het dorp zijn, terug van de stad, van haar moeder. Hij schreef haar langs te komen bij Mieke, dat Renée en hij hier nog waren. Hij kreeg meteen een kus ter bevestiging, alleen maar een x, ze had geen tijd om meer te tikken. Ze was op weg.

'Het gaat om de elektriciteit,' zei Miekes moeder, toen iedereen weer verzameld was in de woonkamer. 'Met zo'n scan meten ze de activiteiten van de hersenen. Dat is elektriciteit, zegt Mark. Daaraan kunnen de dokters al veel weten.'

Mieke vroeg of iemand iets wilde drinken.

Dat was niet het geval.

'Als je slaapt is er minder elektriciteit.'

Steegman vertelde Tereza te hebben verwittigd. Zonder haar iets te vertellen. In de lange stilte die volgde, en die veroorzaakt leek door het noemen van Renées moeder, waren geluiden uit de tuin te horen, grote opwinding bij Amélie en Elise; Dieter lag op de grond, stelde Steegman zich voor, en werd door de meisjes belaagd. Hij stelde zich voor dat ze straks gedrieën, Tereza, Renée en hijzelf, lachend dit huis zouden verlaten. Hij zou de auto van Tereza nemen en zien hoe hun dochtertje huppelend aan haar moeders hand de straat afdaalde. Hij zou hen voor hun huis opwachten, en Renée zou van ver – ondanks zijn waarschuwingen – te snel komen aanhollen met haar armen wijd: 'Papa!' Ze zou ontwaakt zijn bij het horen van haar moeders stem. Mieke zou bruin bier hebben geschonken. De ouderen zouden onderling hebben gepraat over de dingen waar zij anders over praten, en zij, met Mieke, over de schoolvakantie, over de reisplannen, over de meisjes, die nog wat in de tuin speelden. De dag zou zich vanzelf weer tussen de andere voegen.

Hij keek naar haar geloken ogen, streelde haar voorhoofd.

De dokter was geweest.

Een dokter had haar onderzocht. Ze sliep.

Volgens de dokter was ze wakker geweest.

De mensen bleven rustig.

Het waren oudere mensen, ze hadden ervaring.

Een kind dat moe is, krijgt men moeilijk wakker.

Er reden twee auto's door de straat, dicht bij elkaar, alsof de ene door middel van een stang de andere sleepte.

Een groepje kibbelende mussen scheerde langs het grote raam. Kort daarna sloeg vlakbij het diepe koeren van een tortelduif aan; hij herinnerde zich het nest op de knik in de regenpijp tegen de voorgevel. Zomer. Buiten was het zomer.

Een auto vertraagde in de buurt.

De vrouw van de bebaarde man stond op en vroeg of Tereza met een zwarte wagen reed.

'Donker,' zei Steegman. 'Antraciet. Een Ford.'

'Is dat een Ford?' Ze gaf haar man een harde tik op het achterhoofd.

Het kon. Het kon een Ford zijn, dacht de man.

Mieke ging kijken bij het raam. Het was de broer van de buurvrouw. Filip. Het was een Volkswagen, een Golf.

'Ze rijdt met een Ford,' zei Miekes moeder.

'Het is Filip,' zei Mieke.

Ze hoorden de deurbel bij de buren. De diepe stem van Filip, het gesprekje in de gang met zijn zus. Het klonk kortaf.

De stemmen verdwenen in het huis.

De vrouw in de treincoupé leek, hoe langer hij naar haar keek, niet in haar boek te lezen. Ze deed alsof, om haar blik af te wenden van de woonkamer. Ze verstopte zich achter haar hoed omdat ze het niet kon aanzien, Steegman, door vreemde ogen vastgepind op een oranje bank, Renée in zijn schoot, als een boek, een prachtig boek in een taal die hij plots niet meer begreep.

Als je verliest, stelt Jürgen voor, mag de winnaar je kussen. Hij gaat meteen achter Petra aan. Beide meisjes protesteren, maar ze rijden met hun fiets, ze spelen het spel mee. Al na een paar minuten komt Jürgen de andere jongens helpen om Sandra te dwingen voet aan de grond te zetten; Petra is te vaardig. Sandra blijft ingetogen glimlachen bij haar omsingeling, ze houdt haar blik op het zwarte asfalt gericht, waar de band van haar voorwiel platgedrukt wordt onder het zwenken. Voordat ze gedwongen wordt, stapt ze rustig af, zet haar fiets op de standaard en wandelt het gras in. De jongens, maar kort in verwarring, roepen dat opgeven gelijk is aan verliezen. Petra schreeuwt iets, Sandra kijkt niet om en zet het op een lopen.

Het is niet de eerste keer dat ze een spel spelen met als inzet een kus; de meisjes persen hun lippen op elkaar en ondergaan, en daarmee is de kous af. Sandra valt breeduit in het hoge gras, Jürgen en Andy knielen naast haar. Hij staat met de handen in zijn zij aan haar voeten. Ze hijgen uit, het is snikheet. Ze zegt maar één kus toe te staan, zij moeten uitmaken wie gewonnen heeft. Jürgen en Andy giechelen als meisjes en kijken hem aan.

Misschien is het de verandering in de bikini, hoe ze de

inhoud verplaatst, ineens haar armen kruist, hoe het inge-
zakte rood opwelt, hoe ze het ene opengeslagen been, met
hoog aan de binnenkant van haar dij de bleke huid, preuts
sluit. Misschien het gras, dat haar heeft opgeslokt, of de
verdovende ruis van insecten. Misschien zijn indruk, voor
het eerst, dat hij zich mogelijk heeft vergist, dat ze met haar
grote, donkere ogen niet superieur het leven doorgrondt,
maar het voortdurend met een lichte paniek afwacht.

Een kort gevecht, ze hebben haar snel in bedwang.

Op zijn aangeven haakt Jürgen een vinger achter de
boord met het touwtje dat in haar nek in twee grote lussen
is gestrikt, aan de kant waar het gewicht in het textiel leunt.
De borst glijdt soepel uit de bikini, de aanblik doet Jürgen
en Andy bijna loslaten.

Hij zegt dat de kus niet nader bepaald is.

Hij duidt Andy aan als winnaar.

Zenuwachtig, met vochtige ogen, duwt Andy ten slotte
zijn lippen tegen het verrimpelde donkerbruin dat steil uit
de borst is gerezen.

Jürgen proest het uit en loopt terug naar Petra, ze rijdt
rondjes op het asfalt. Sandra's been is vrij om te schoppen
maar blijft liggen; één been is niet genoeg.

Hij merkt dat haar ogen vooral donker zijn door de wijde
pupillen. Ze nemen alles op, gulzig, ze wil niets missen. Ze
vindt het niet erg om in handen van de jongens te vallen, de
overmacht, ze ondergaat het met een zeker genoegen.

Misschien schopt ze niet omdat het voorbij is, meer dan
de borst, de kus, verwacht ze niet. Het schijnt hem toe of ze

haar niet hebben kunnen pakken, niet werkelijk, ze heeft dit voorzien, ze monkelt om hun gestuntel, hun kinderlijkheid.

Als hij zijn hand in de broekspijp van haar wijde shorts schuift, verandert haar blik. Ze knijpt haar benen dicht. Na een felle strijd is haar gezicht verhit, haren kleven aan haar voorhoofd, ze kijkt hem recht in de ogen, moet zijn verbazing zien wanneer hij een dikke bos kroeshaar ontbloot.

Andy begrijpt zijn vraag niet.

Andy durft niet, hij houdt zijn gestrekte wijsvinger op een afstand, of hij een uitval van een in het nauw gedreven rat verwacht.

Hij verzekert Andy dat er niets is om bang voor te zijn. Andy probeert, het lukt niet, het is even zoeken. Dan verdwijnt zijn vinger tot aan zijn knuist in het ruwe haar.

Niemand beweegt nog.

Niemand zegt iets.

Bij de schapenstal van boer Tuyt stijgt een leeuwerik op.

De vinger van Andy steekt in Sandra.

Er hangt een borst uit haar bikini.

Maar ze kijkt Emiel aan of niet zij haar intimiteit prijsgeeft, ze kijkt of ze hém ziet. In het wijde, glanzende zwart dat hem strak opneemt, toont ze wie hij is. Geen leider, een angsthaas. Te lafhartig om zelf te doen wat hij anderen aldoor opdraagt. Hij voelt zich naakt, hij voelt zijn mond verkrampen onder haar blik. Zolang hij haar vastpint, heeft ze hem in een houdgreep.

Bij haar eerste aanblik verdween alle kleur uit Tereza's gezicht.

Hij had haar begroeting gehoord, daarna alleen nog Mieke die haar kort inlichtte. Het woord 'dokter' was gevallen.

Ze schuifelde naar de haard tegenover de bank, ze bleef op afstand, ze kwam niet naar hem en Renée toe. Ze keek of ze een geest zag. Haar kleren, haar sleutelbos die half uit haar handtas hing, de zonnebril in haar haar. Ze kwam uit een andere wereld.

'Een ziekenwagen,' zei ze. 'Onmiddellijk.'

'Rustig,' zei Steegman. 'Er is een dokter geweest, hij heeft haar onderzocht.'

'Waarom hebben jullie geen ziekenwagen gebeld? Ze is bleek. Ze slaapt nooit overdag!'

Steegman schreeuwde dat er een dokter was geweest. Hij schreeuwde de hele ellendige middag van zich af.

Mieke, in de deuropening, begon te huilen.

Met trillende handen zocht Tereza haar telefoon.

Hij aaide Renée over haar wang. Hij zei dat mama er was, vroeg of ze nu haar oogjes wilde opendoen.

Hij hoorde Tereza in de keuken, kalm, beleefd, ter zake, of ze precies wist hoe het aan de andere kant van de lijn toeging, hoe je, niet mis te verstaan, de ernst van de zaak kon overbrengen en een net zo doeltreffende reactie afdwingen.

Mieke depte haar ogen, ze huilde alleen maar met haar ogen, ze was in staat om Tereza het verhaal te doen, het been, het huilen, de slaap.

Het interventieteam arriveerde al na een paar minuten.

Er heerste verwarring, de paramedici in fluovest associeerden een 'slapend kind' met een slaapkamer, ze vroegen naar de slaapkamer, werden die door een overdonderde Mieke aangewezen en stormden de trap op, twee zware koffers meezeulend, waarop Steegman Renée maar naar boven droeg omdat hij meende dat de dokters haar op een bed wilden onderzoeken, afgezonderd.

In het gespannen stilzwijgen onderscheidde hij de ziekenwagen, misschien nog een kilometer ver. Het was een ziekenwagen voor Renée, hij zocht zijn weg naar dit huis, deze kamer; het idee stuiterde in zijn hoofd. Hij beeldde zich in door welke straten de ziekenwagen reed, wist niet of hij snel de kortste route moest bedenken of toch nog alles kon omkeren door hem de verkeerde richting uit te sturen. Toen zei de leidinggevende arts dat ze Renée zouden meenemen naar het ziekenhuis in Z.

Tereza vroeg, zich half verontschuldigend, om haar alstublieft naar het universitaire ziekenhuis in G. te brengen, maar dat kon de arts niet doen. Hij sprak zacht, zalvend. Z. lag op tien minuten rijden, G., de provinciehoofdstad, op meer dan een halfuur. Hij droeg de verantwoordelijkheid, het was te gevaarlijk, een lange rit kon bloedklonters losmaken en nieuwe trauma's veroorzaken. Ze moesten altijd eerst naar het dichtstbijzijnde ziekenhuis rijden, dat was de standaardprocedure.

Bloedklonters? Had ze een beroerte gekregen?

Daar kon hij niet met zekerheid op antwoorden.

Twee verplegers, een dikke en een jonge, manoeuvreerden hun draagberrie in het slaapkamertje en keken de arts vragend aan.

'We gaan niet te snel rijden. We gaan voorzichtig rijden.'

Beneden stond het bezoek zwijgend bijeen op het gazon. Mieke huilde harder dan tevoren en zei stilletjes sorry tegen Steegman. Hij omhelsde haar en zei dat het haar schuld niet was.

Hij wachtte in Tereza's auto tot de ziekenwagen hem traag voorbijreed. De raampjes hadden mat glas; hij zag de schim van de dikke verpleger.

Toen ze het dorp verlieten en langs uitgestrekte, golvende korenvelden reden, schoot hij vol. Hij wilde haar plaats innemen. Hij was haar vader, wat zou hij niet veil hebben, wat zou hij niet beloven te doen als er maar niets aan de hand was?

Niet bidden, dacht hij kwaad. Durf niet te bidden.

Hij voelde zijn telefoon trillen. Hij maakte zijn veiligheidsriem los en strekte zijn been, zag dat het niet Tereza was met nieuws uit de ziekenwagen, maar zijn uitgever, en besloot niet op te nemen, de lijn vrij te houden. Bijna een volle minuut daarna kreeg hij de boodschap dat hij voicemail had ontvangen.

De spoeddienst in het souterrain van het gebouw was zo goed als verlaten. Een zaterdag in de zomervakantie in een kleine stad. Een kinderarts, een streng ogende vrouw van middelbare leeftijd, wachtte hen op en zei dat de radioloog dadelijk zou aankomen. De gordijnen rond het bed werden maar half dichtgetrokken, het was er kraaknet, Steegman rook zichzelf.

Een CT-scan toonde geen bloedklonter.

De kinderarts zei dat bloedklonters nagenoeg nooit voorkomen bij kinderen. Op de CT-scan was niets in de hersenen te zien. Nee, geen klonter. Tereza kneep hard in zijn hand.

De EEG verliep moeizaam. De elektroden kleefden niet goed. De radioloog kreeg een raar patroon op de uitdraai. Toen zei hij dat hij moest overleggen met de arts.

Het wachten duurde drieëntwintig minuten. Op het ogenblik dat de kinderarts een ruk aan het gordijn gaf, opende Renée haar ogen. Ze tastte naar Tereza. De keelgeluiden zwollen aan, haar opengesperde ogen staarden, ze begon te trappelen en te schreeuwen, ze klauwde, Steegman en Tereza konden haar met moeite de baas, ze zag hen niet, ze verdronk in panische angst, hij hoorde Tereza om hulp roepen, Tereza riep om hulp, uit zijn ooghoek zag hij de kinderarts wegrennen.

Plots ebde de spanning uit haar lijfje weg. Ze werd stil, toonde zich bereid om weer te liggen, ze sloot haar ogen. Ze slaakte een diepe zucht. Sliep.

De kinderarts kwam aangerend met een verpleger en een injectiespuit.

'Kijk.' Steegman wees naar de benen van Renée. 'Ze heeft geplast.'

'Dat kan gebeuren,' zei de dokter. 'Het gebeurt op zulke momenten ook bij volwassenen. We hebben wel iets om aan te trekken.'

'Nee,' zei Tereza, snikkend. 'Ze moest plassen. Ze wilde ons duidelijk maken dat ze naar het toilet moest. Ze is al een groot meisje, ze wilde het niet in haar broek doen.' Ze bedekte Renée met haar bovenlichaam, kuste haar op het oor, ze fluisterde dat het niet erg was, het was helemaal niet erg, het was maar een ongelukje.

De kinderarts deelde nu mee dat zij geen diagnose kon stellen, dat zij verder niets voor Renée kon doen. Ze had contact gehad met de pediatrische intensive care unit van het universitair ziekenhuis in G. Er was een speciaal team op komst, met een ziekenwagen. Ja, ze kwamen haar halen. Ze waren van Renées toestand op de hoogte.

Steegman hielp Tereza met het verschonen. Ze had de moed hervat, ze sprak of er aan Renée niets mankeerde. Ze waren thuis, in de badkamer, de kleurige visjes in een rij op het vensterglas. Hop. Ziezo. Mijn lieve schat. Mijn flinke meid.

Terwijl hij op het toilet zijn handen waste, keek hij zichzelf diep in de ogen. Hij dacht aan de talrijke nachtmerries waarin hij op den duur, ongeveer op dit punt, zonder dat het meteen ophield, beséfte dat het om een nachtmerrie ging. Het zou kunnen, in de beslotenheid van dit toilet, bij deze schemerige belichting...

Hij schrok van zijn telefoon.

Een nieuwe oproep van zijn uitgever?

'Emiel? Emiel? Hoi! Blij dat ik je te pakken heb... Kun je me horen? Ik ben op het water, ik ben met vakantie, we zeilen nabij Capri. Versta je me goed? Heb je mijn boodschap gehoord? Nee? Ga zitten, Emiel. Zit je? Je moet wel even gaan zitten, hoor... Klaar? Je weet dat de jury van het

Gouden Buikbandje vandaag een shortlist zou bekendmaken? Je weet dat ze anderhalve maand geleden geen longlist hebben vrijgegeven? Natuurlijk weet je dat. Luister. Ze hebben géén shortlist samengesteld. Er is géén shortlist. Weet je waarom, Emiel? Nee, dát weet je niet. Wel, voor het eerst in het bestaan van de prijs hebben de juryleden, in het licht van de verbluffende kwaliteit van één bepaalde roman, geweigerd een lange en korte lijst te maken. De andere boeken, zo luidt het persbericht, zouden de aandacht niet hebben verdiend! Emiel? Ze willen met deze uitzonderlijke gang van zaken, ik citeer, een hoogstuitzonderlijk boek een buitengewone eer bewijzen – *De moordenaar*! Emiel, *De moordenaar*! Ik viel bijna overboord! Gefeliciteerd, jongen! Emiel? Emiel, luister. Het Journaal wil je straks in de uitzending, live, er is een cameraploeg op weg naar je huis. Ben je thuis? Waar ben je, Emiel? Waar? Het ziekenhuis in S.? Z. Het ziekenhuis in Z. Is dat ver van je huis? Het ziekenhuis in Z., ik geef het door. Gaat het, Emiel? Wat zeg je? Je weet het niet? Ja, dat geloof ik!'

Zijn uitgever feliciteerde hem andermaal met de toekenning van het Gouden Buikbandje en benadrukte dat een live-interview in het Journaal naar aanleiding van een literaire prijs – zelfs de belangrijkste – niet gebruikelijk was. De exposure zou enorm zijn. Het was zaak om het ijzer te smeden nu het heet was, om alle aandacht die hij kon krijgen naar zich toe te trekken. Want morgen was het, bij wijze van spreken, dat hoefde hij Steegman niet uit te leggen, alweer voorbij.

The quick brown fox jumps over the lazy dog.

Het weerzien is hartelijk. Ik word met open armen door het alfabet ontvangen. Het is de juiste beslissing. Niet schrijven zou tegennatuurlijk zijn.

Het verhaal van mijn grootvader aan moederskant. Het verhaal van de knuppel, de houten knuppel. Twee mannen brengen op een dag, eindelijk, de elektriciteit tot bij zijn boerderijtje. Tegen de avond loopt het alsnog mis. De ene man 'hangt' plots aan de draad. De andere neemt vliegensvlug de houten knuppel die ze al de hele dag met zich meedragen en slaat zijn vriend snoeihard op de hand. Hij breekt zijn hand en zijn pols, hij slaat de man van de stroom af.

Gisteren ben ik als met een houten knuppel van mijn verhaal af geslagen. T is nergens meer te bekennen.

Maar als ik niet schrijf, ben ik de hond, opgekruld in het gras, en springen de gebeurtenissen over me heen, haal ik de vos misschien nooit meer in.

In de lange, kale gang die een oud met een nieuw gedeelte van het ziekenhuis verbindt, heb ik de Olivetti Lettera 32 op schoot, een stijlvolle portable die in de jaren zestig erg geliefd was onder journalisten. De zeegroene draagtas met zwarte ritssluiting en midden overlangs een brede, zwarte band oogt zelfs vandaag modern. Het beeld moet in Zuid-Vietnam de kracht hebben gehad van een vlag, van een rood kruis op een witte achtergrond: hier komt de oorlogscorrespondent.

Breng ik verslag uit van een oorlog?

Alles draait, wervelt en cirkelt, alles is nu, tegenwoordig, de tijd is nog lang niet verleden. De vos en de hond zijn geen vos en geen hond, maar twee woorden. Er zijn alleen de woorden. Elk woord is een gladde steen die uit het snel stromende water steekt. We moeten naar de overkant. Er is geen weg terug.

Tereza smeekt. Ze mag niet mee in de ziekenwagen naar G. De ervaren verpleegster legt met een warm hart geduldig maar beslist uit waarom ouders in deze gevallen niet mee kunnen: de veiligheid van het kind. Als er iets gebeurt moeten zij ongehinderd kunnen werken. Ze bedoelt: in een noodsituatie zijn hysterische ouders in een kleine ruimte als de ziekenwagen levensgevaarlijk. Ze zegt dat we rustig naar huis moeten gaan om wat spullen te verzamelen. Daarna komen we rustig naar het ziekenhuis. Geen haast. Renée is in de beste handen. Ze zegt: u hebt een prachtige dochter, mevrouw. Straks ziet u haar terug. We zullen goed voor haar zorgen. Beloofd. Tereza vraagt het nog één keer, alstublieft, de verpleegster zwijgt en drukt kort Tereza's hoofd teder tegen haar schouder.

Het gebaar, onverwacht, komt hard aan. Ze erkent het verdriet van Tereza, haar bezorgdheid, het is terecht, ze is de eerste die toegeeft dat het wellicht erg is en dat nog erger kan volgen. Terzelfder tijd stelt ze gerust. Haar gebaar toont dat Renée werkelijk in de beste handen is, ze neemt de smart, als vrouw, als moeder misschien, voor een deel op zich. Doordat ze zich een mens toont, lijkt ze wel, van top tot teen in het wit, een engel.

We zijn maar kort binnen. Tereza gaat meteen naar boven en verzamelt wat kleren en toiletgerei. Beer. Beneden, in de salon, is er ogenschijnlijk niets veranderd. Het lijkt in scène gezet, door iemand bedacht, het lege kopje op het schoteltje op de armleuning van de tweezitsbank, een glazen espressokopje, de verdroogde schuimresten die nog bitterzoet geuren. Als ik naar het zwarte tv-scherm kijk, zie ik Cavendish, hij spurt met de neus boven zijn voorwiel, hij neemt afstand van zijn naaste belagers. De renners hebben de hele dag wind op kop, de etappe loopt vertraging op. Zonder tegenwind komt Renée naar míj toe en zegt dat ze iets aan haar beentje voelt. Ze huilt en valt in mijn armen in slaap, míjn armen; papa is er, bij papa is ze veilig. Renée slaapt nooit overdag. Ik bel een ziekenwagen.

Tereza zou nooit koffie hebben gedronken.
Nooit.

De gang is lang, passanten worden niet door het tikken verrast. Ze krijgen ruimschoots de tijd om mijn gedrag te duiden, om een verhaal te maken. Als ze mij bereiken, besta ik al niet meer, kijken ze hooguit naar de Olivetti. Bovendien is het mijn indruk dat op deze plek, die de gewone wereld van hoestsiropen en kleefpleisters verbindt met de picu, de pediatric intensive care unit, mensen elkaar sneller herkennen.

De gang heeft een koude rechtlijnigheid die door twee magere ficusplanten alleen maar in de verf wordt gezet. De planten staan ver uit elkaar, vereenzaamd, het komt mij voor als een vorm van mishandeling. Aan het plafond hangt kunst, oplichtende foto's van ongeveer anderhalve meter in het vierkant: zes keer een bladerdak waar zonlicht door valt. Bij elke foto hangt een kaartje aan de muur. Hyde Park. Vondelpark. Central Park.

We zijn de ouders van Renée Steegman. We melden ons zoals gevraagd op de spoeddienst van het universitair ziekenhuis, die in tegenstelling tot die in Z. bedrijvig is. Er staat een apparaat als bij de slager, maar wij hoeven geen nummer te trekken. Boven een drankenautomaat hangt een televisie. Vrouwen spelen American football, op een kleiner veld dan de mannen. Ze dragen dezelfde helmen en ook de spelregels lijken dezelfde, maar daar is het niet om te doen: de vrouwen dragen spannende broekjes en bustehouders. Ik herinner me de meisjes die 's nachts op tv aldoor trampoline spron-

gen. Van hetzelfde laken een pak, nu onder het mom
van sport. Tereza en ik zitten op dezelfde plastic stoeltjes als de schrokkende en slurpende primaten in het
stadion.

De verpleegster antwoordt niet op onze vraag, ze zegt
dat de dokter ons te woord zal staan. Ze is vriendelijk,
ze houdt de deuren voor ons open. Ik ben zenuwachtig,
op het misselijke af. Tereza en ik lopen hand in hand
door de gangen, volgen de verpleegster, onze voetstappen raken het niet eens. Waar is ons meisje? We willen
Renée zien, we kunnen geen seconde langer wachten.
Het is of we haar voor het eerst zullen zien, als bij haar
geboorte. Het is of alles daarvan afhangt, die eerste
blik, de rest van ons leven.

De laatste keer dat ik iemand met een typemachine zie,
is in de stad. Vanaf mijn bankje zie ik hem het uitgestrekte plein oversteken, valavond, deurwaarder De-
keyser, in zijn driekwartoverjas met Schotse voering.
Het koffertje aan zijn hand bevat een Hermes Baby. Hij
heeft het machientje al achtentwintig jaar in dienst.
Zijn handschrift is onleesbaar en computers vertrouwt
hij niet. Hij zegt dat het geluid de mensen kalmeert, en

in zijn professie, in de kringen die hij overdag frequen-
teert, is dat bepaald handig. Hij biedt me zijn heupfles
aan, Calvados. An apple a day keeps the doctor away.

Misschien ben ik meer deurwaarder dan oorlogscorrespondent. Ik noteer wat van waarde kan zijn. Ik kalmeer
mezelf.

De picu heeft zeven bedden, gerangschikt tegen een lange en korte zijde van een rechthoek die kops op de gang
staat. Tegen de andere lange zijde is de controlekamer
gebouwd, met grote ramen. De verpleegster zegt dat Renée in box 4 ligt; een bed met alles eromheen is een box.
Aan het plafond hangen de nummers, ik kijk niet in de
andere boxen, ofschoon er in de zaal een gewijde rust
heerst – ook hier is het bedtijd voor de kinderen. Het
licht is vrijwel overal gedimd, en de alarmsignalen die
zich ritmisch mengen in het koor van vredige bliepjes,
zijn van het zachte soort dat standaard bij de verhoogde
waakzaamheid in deze omgeving lijkt te horen. Ze doen
me denken aan luxueuze Amerikaanse gezinswagens,
aan de vriendelijke, haast verontschuldigende manier
waarop zo'n signaal de chauffeur herinnert aan de klep
van de kofferbak, die op een kier staat.

Renée. Iets is veranderd in haar gezicht, een zekere expressie, maar daarbuiten ziet ze er, met haar zomers bruine huid op het hagelwitte bedlinnen, kerngezond uit. Dit is een misverstand, een grotesk misverstand, iemand moet de ban doorbreken, ons meisje is kerngezond, we nemen haar uit dit belachelijk grote bed op wielen en gaan naar huis, we houden deze mensen geen minuut langer op. Morgen slapen we uit, tegen de middag denken we lachend terug aan deze farce. Niet te geloven.

We maken kennis met dokter De Jager, hoofd van de afdeling. De verpleegster die net bloed heeft afgenomen, is Angelique, degene die ons hierheen heeft geleid, Vanessa. Op het naamplaatje van dokter De Jager staat 'A', 'Dokter A. De Jager'. Ze praat in overeenstemming met haar verschijning, rustig, bedaard, weloverwogen, werpt intussen blikken op Renée. Ze heeft het over duidelijke tekenen van een verlaagd bewustzijn. Verder zijn er verlammingsverschijnselen over de hele rechterzijde van haar lichaam. Maar voorlopig tasten zij in het duister omtrent de oorzaak. Ze heeft de resultaten van de ct-scan en eeg doorgekregen van haar collega in Z. Over een kwartiertje wordt een mri-scan van haar hersenen

genomen om een duidelijk beeld te krijgen van de bloedvaten. Ze wordt licht verdoofd, het is van het grootste
belang dat de patiënt niet beweegt tijdens het klein halfuurtje dat de scanner nodig heeft om een beeld te vormen, anders zijn de resultaten wazig en onbruikbaar. Ze
heeft het over magnetische resonantie, over de herrie,
een tweede reden om kleine kinderen te verdoven. Dan
stopt ze met praten. Wij weten niets te zeggen, de stilte
is die van verstomming. Dokter De Jager kijkt eerst Tereza, dan mij in de ogen, en zegt met diep medeleven: we
moeten nog even afwachten.

In de brede gang van de kelder staan een tiental golfkar-
retjes en een veelvoud aan aanhangwagentjes achter
een gele lijn in een dubbele rij geparkeerd. Vanessa vertelt dat de twaalf klinieken in dit complex via tunnels
met elkaar in verbinding staan. De meeste althans.
Nog andere lijnen en symbolen wijzen op een soort in-
terne verkeerscode; de effen, betonnen vloer, lichtgroen,
ontlokt gepiep aan onze schoenzolen. Zodra we de mri-
afdeling bereiken, ziet alles er weer uit als bovengronds:
de vale deuren, de letters op de bordjes die boven de
deurlijst dwars op de muur zijn geschroefd, de tegels. De
heuphoge lambrisering van plexiglas.

God bestaat in de dingen. Mensen geloven niet meer in de Kerk, wel nog in God. God bestaat in alle dingen – natuurlijk is God geen persoon. God verpersoonlijken is volstrekt achterhaald. God manifesteert zich in de kunst die in Zijn naam is voortgebracht. In alle kunst. God is de natuur, bergen, boomkikker en kerselaar. Troost. Schoonheid. Maar tot wie richten al deze mensen zich in tijden van nood? Tot een trekpaard, een tuinslak? Tot de Zonnebloemen of het Melkmeisje? Ze richten zich tot Hem, Hij die kan ingrijpen, hetzij ondoorgrondelijk, maakt niet uit: help mij. Een aanpassing van Zijn agenda de inzet van de gesprekken. Er wordt gesjacherd, ruilhandel vindt plaats: als U dit, dan ik zo. Als U mijn minnaar, voor dood op de grond na een V1-inslag, niet laat sterven, verlaat ik hem voorgoed – 'The End of the Affair'.

Als God te zwak blijkt om mij in Hem te doen geloven, hoe kan Hij dan de Almachtige zijn?

Als God bestond, zou ik in Hem geloven.

Ik bid niet, ik spreek tot Renée. Ik zit in de lege wachtruimte, ik tel zevenendertig vrije stoeltjes. 'Je hersenen liegen niet,' lees ik op een affiche. Foto en slogan zinspelen op het gebruik van de leugendetector, maar het gaat om hersenonderzoek. Ik bid niet. Ik moedig haar aan, streng, dringend, onafgebroken, ze moet vechten. We worden belaagd.

Eén ouder maar mag mee naar binnen. Een sluis met rood knipperlicht en kwakend alarm waarschuwt voor de sterke magnetische straling; mensen met een pacemaker kunnen niet verder. Ik zie Tereza naast het bed met Renée de onderzoeksruimte in lopen, vergezeld van Vanessa en dokter De Jager. Net voor de klapdeuren sluiten zie ik een man in smoking op de dokter afstappen, hij trekt zijn vlinderdas uit de boord van zijn overhemd. Ik blijf achter met een handtas en een jack. De stapel tijdschriften raak ik niet aan. De receptie is opgetrokken uit lichtbruine baksteen, ooit, vermoed ik, een tijdelijke oplossing. Aan de achterkant van twee computers hangen dikke trossen bekabeling. Krullende post-its op het toetsenbord, die pas maandag gelezen zullen worden, als de normale gang van zaken hier weer intreedt.

Ik hoor de tik van de seconden in de ronde stationsklok.

Een licht fluiten in mijn neus bij het inademen. Ik praat op haar in. Mijn concentratie zou een theelepel kunnen plooien.

Na twintig minuten komt Tereza buiten, alleen, ze heeft gezegd dat ze even naar het toilet moest. De radioloog heeft iets gezien. Ze hoorde hem iets zeggen tegen dokter De Jager en hij wees met zijn pen naar het scherm. Ze meent verstaan te hebben dat hij zei dat ze niet verder hoefden te zoeken. Ze haalt haar schouders op, ze heeft geen idee. Nog een minuutje of vijf, heeft Vanessa gezegd, dan gaan we terug naar boven. Tereza schudt haar hoofd, haar gezicht is grijs. Er is iets te zien, zegt ze. Het is niet goed. Ik kan alleen maar uitbrengen dat we positief moeten blijven. Positief, daar kom ik mee aanzetten, terwijl iemand met twee handen mijn organen herschikt.

De weg terug naar de picu is lang. Ook Vanessa heeft zich nu afgesloten, of doet er uit medeleven het zwijgen toe. Zodra Renée in box 4 is geparkeerd, neemt dokter De Jager ons apart in een blind kamertje. Er staat een kloek bureau en een kast met gesloten rolluik. Geen computer. Het bureaublad is leeg.

De mri-scan heeft verheldering gebracht. Er is inderdaad een infarct geweest. Geen bloedklonter, maar een ontsteking op het belangrijkste bloedvat in het middengedeelte van de linkerhersenhelft heeft de toevoer van bloed, van zuurstof geblokkeerd. Vasculitis. Het is nog onbekend wat precies de ontsteking veroorzaakt heeft.

Ze pauzeert even, laat ons naar adem happen. Dan zegt ze dat Renée in levensgevaar verkeert. Een kunstmatige coma is aangewezen om alle activiteit in de hersenen stil te leggen. Het risico op een nieuw infarct moet geminimaliseerd worden. Ze legt ons uit dat de getroffen hersencellen na verloop van tijd opzwellen. Door het samendrukken van andere bloedvaten kan er een sneeuwbaleffect ontstaan, een reeks van infarcten, levensbedreigend. Er zal een sonde in haar schedel worden gebracht om de toenemende druk van een oedeem te zien aankomen. Dat kan over twee, drie dagen plaatsvinden, wanneer de dode hersencellen hun maximale omvang hebben bereikt. Als de druk te groot wordt, moeten ze ingrijpen en haar schedeldak lichten...

Dokter De Jager zwijgt en blijft zitten aan de overzijde van het bureau. Ze weet dat er na de tranen vragen ko-

men. Ze geeft ons alle tijd, haar gezicht een en al warmhartig begrip. Ik vraag me af hoe het voor haar moet
zijn, in deze blinde kamer, tegenover twee volwassenen,
ouders, die hunkerend naar verlossing aan haar lippen
hangen en zienderogen verkruimelen in hun stoel.

Nee, een operatie was, ís zinloos. Bij een bloedklonter kan
een snelle interventie verder onheil voorkomen, maar in
het geval van Renée zou een operatie om de vernauwing
in het bloedvat open te sperren niets hebben opgeleverd.
Als de hersencellen langer dan vier, vijf minuten zonder
zuurstof blijven, sterven ze af. Het is onomkeerbaar. Bovendien zit het bloedvat te diep, een chirurgische ingreep
zou mogelijk meer schade toebrengen, vitalere functies
hebben bedreigd dan de gevolgen van het infarct.

De behandeling beperkt zich op dit ogenblik tot het toe-
dienen van grote hoeveelheden corticoïden. Cortisone,
de ontsteking moet bestreden worden. Bloedverdunners,
uiteraard.

Na elk antwoord de stilte, het geduld.
Het ongeloof.

Als Renée dit overleeft, weet dokter De Jager niet
hoe ze eraan toe zal zijn. Niet op dit ogenblik. De mri
toont het begin van schade in het middendeel links,
verwacht wordt dat die schade in werkelijkheid groter
is. Dat is pas later, met het zwellen van de dode cellen, duidelijk te zien. Het getroffen gebied bestuurt de
motoriek van de rechterhelft van het lichaam en de
spraak. We moeten afwachten. We moeten afwachten of
ze zal kunnen slikken, met de ogen knipperen. Of het
wegvallen van haar zicht tijdelijk is, verbonden aan
het trauma, of structureel met het hersenletsel heeft te
maken...

We kunnen nog een paar minuutjes blijven, maar dan
moeten Vanessa en Angelique aan het werk. We kijken
naar Renée in dat grote bed. Haar gezicht is ontspannen. Een meisje van bijna vier dat slaapt. De gedachte
dat de mri verkeerde beelden heeft gemaakt, dat er op
een of andere onverklaarbare manier een vergissing is
begaan: zeepbellen die uiteenspatten voor ze gaan zweven. Andere meisjes van bijna vier hebben vandaag op
een verjaardagsfeestje een been gebroken. Het kon een
been zijn geweest. Een arm. Ze kon nu tussen ons hebben geslapen, het gloednieuwe gips op het zachte dons.

Bloemetjes en hartjes. En kusjes, veel kusjes, van onder naar boven, als een ritssluiting. Het kon.

Ze moet blijven leven, zegt Tereza in de auto. Het is een bevel, de nadruk op 'moet'. Het bevel is zowel gericht aan Renée als aan mij en haarzelf. Een plechtig voornemen, een belofte, een bezwering. Ze moet blijven leven. We zijn op weg naar haar moeder, die op vijf minuten van het ziekenhuis woont. Vanaf de volgende nacht kunnen we in een kamertje op de pediatrie slapen. We moeten in de buurt blijven, maar ook moeten we slapen, zegt Vanessa als ze ons naar buiten begeleidt. Renée zal ons nog nodig hebben, en dan moeten we klaarstaan. Een troostend bevel. Ik hoop dat ik op een dag moet klaarstaan voor Renée, die is moeten blijven leven.

We liggen in het bed van Eva, de tienerdochter van de vriend van Tereza's moeder, en staren in het halfduister. Het is vreemd om ons verdriet voor het eerst ook bij anderen te zien, het is even groot, het ontroert me diep. Om het uur telefoneert Tereza naar Vanessa, we mogen bellen wanneer we willen. Renée is stabiel. Haar toestand is niet gewijzigd. Vanessa waarschuwt ons voor straks, voor het binnenkomen, want Renée is nu aangesloten op de apparatuur en beademing. Kennelijk een plaatje waar wij alsnog van kunnen schrikken. Ik denk terug aan de autorit, niet eens vierentwintig uur geleden, Renée achterin, zingend, lachend. Geen enkele waarschuwing, hoe miniem ook, dat ergens in het kilometerslange netwerk van aderen het bloed maar moeizaam stroomt. Als ze lacht, krijgt ze de hik, sinds haar geboorte al, sinds ze lacht. Het moet te maken hebben met haar middenrif, een onschuldig constructiefoutje. Het is de samenloop, het denken aan haar hikkende lach en de cynische onverschilligheid van de vroege merel die vlak bij ons raam, versterkt door de binnentuin, zijn bloedmooie zang aanheft en daarmee een nieuwe, stralende zomerdag inluidt: ik voel mijn gezicht veranderen, en lach. Niet meer dan wat lucht die anders uit mijn neus wordt gestoten, spiertjes om de mond en ogen. Dan is het weer voorbij en denk ik aan de hormonaal gestuurde hersenen van de merel, die hem, ter verdediging van zijn kansen op nageslacht, virtuoos, met wiskundige uitputting laten variëren op hetzelfde thema; hersenen niet groter dan een kikkererwt.

Ga maar, hoor ik Tereza's moeder fluisteren. Ga maar vlug naar jullie kindje. In het huis is het nog nacht,

Tereza wil niet vertrekken zonder te verwittigen. Haar hoofd steekt in de slaapkamer, haar moeder vraagt of we ontbeten hebben, de tafel staat klaar. Nee? Vanavond zal zij koken. Een uurtje maar, dan kunnen we al terug. We moeten toch eten? We zien hen deze middag, we moeten erover nadenken. Ga nu maar.

'Jullie kindje.' Het klinkt na in mijn hoofd. Ze kan Renée bij haar naam noemen, maar doet dat niet. Het is allicht toevallig, of het getuigt van een groot inzicht. Een warme deken die ze om Tereza, Renée en mij wikkelt en die ons onlosmakelijk met elkaar verbindt.

Er is geen verkeer in de stad. Op de voetpaden de zombies die het middeleeuwse centrum verlaten na de eerste zaterdagse nacht van het tiendaagse stadsfeest. Jonge mensen, grote kinderen. Sommigen kijken op, maar ze zien ons niet. Hun instinct om te overleven is in werking getreden, ze blijven bewegen, op weg naar het nest.

De picu heeft een op afstand bediende klapdeur met raampje, die pas na een visuele identificatie van de bezoeker door een verpleegster of dokter wordt geopend. We zien Vanessa in de controlekamer, ze gebaart dat we door kunnen lopen, dat ze meteen komt, ze steekt een duim op. Ik zie het aan de reactie van Tereza die zich niet kan beheersen en een paar meter voor mij uit loopt, ik zie hoe het verlangen om Renée te zien in één ogenblik wordt platgewalst door nieuwe indrukken. Die van mij: een ruimteschip. Een oplichtend moederschip waartegen het schepseltje op bed schril afsteekt. Ze is overgeleverd, nieuwsgierig hebben buitenaardse wezens haar in bezit genomen, haar gepenetreerd, neus, mond, armen, handen, zelfs ergens onder de lakens. Haar sche-del; in een kaalgeschoren, roodgeverfde strook tussen voorhoofd en kruin steekt een buis met bedrading, alsof haar comateuze dromen worden afgetapt. Ze lijkt al een beetje een van hen. Beer, tegen haar wang, kijkt ver-schrikt uit zijn bekraste ogen.

Ik heb mijn vader één keer zien huilen, bijna twintig jaar geleden, op de begrafenis van mijn grootmoeder. Ik krijg hem aan de lijn, het is halfacht zondagmorgen, hij voelt nattigheid. Eerst probeert hij nog woorden te vin-den, maar naarmate mijn woorden zich een baan naar zijn hart vreten wordt het stil. De stem van mijn moe-der, ze huilt al voor ik haar kan begroeten. Ze laat me niet uitspreken en vraagt of alles weer goed zal komen met Renée. Ik zit op een bankje, buiten, ik kijk naar Tereza's hand op mijn knie. Het is een prachtige ochtend. Haar hand is compleet ontspannen, hij rust op mijn knie. Het licht. Was ik een schilder, aan deze hand had ik genoeg. Of alles goed zal komen met Renée, herhaalt mijn moeder. Het is of alles ineens van mij afhangt. Ik aarzel om te spreken: wat als het werkelijk ineens van mij afhangt, een moment van genade? Kan ik het maken om niet 'ja' te antwoorden, om het niet te proberen? Kan ik het maken om mijn moeder voor te liegen? Inwendig verdom ik God. Ik aarzel, eerst aarzel ik, dan wacht ik op mijn moeder, tot zij 'Emiel?' zegt, of 'Ben je daar nog?', of gewoon 'Hallo?'. Als ik wacht, is de kans dat er een vraag komt waarop ik 'ja' mag antwoorden vrijwel honderd procent. Ik moet mijn 'ja' doen klinken of het strikt genomen ook een verlaat antwoord kan zijn op de vorige vraag.

Voortdurend heb ik het metertje met de rode digits in het oog. Ik zit in een stoel die te laag is voor het opgekrikte bed van Renée. Angelique heeft ons getoond dat er een bovengrens is ingesteld; overschrijdt de druk die grens, dan gaat een groot alarm af. Het is vreselijk, ik kan niet langer dan vijf seconden niet naar de digits kijken. We willen niets aan het toeval overlaten. We hebben niets anders te doen. Wat zou belangrijker kunnen zijn? Hoe kan men van Tereza en mij verwachten niet als nerveuze waakhonden bij het bed te zitten? Twee roodoplichtende cijfertjes zijn nu het centrum van ons bestaan, een duidelijk leesbare, wetenschappelijk bepaalde indicatie van ons lot. Het is nooit eenvoudiger geweest. Het is een terreur.

We lossen elkaar af. Ik drink Cécémel, de andere drankjes in de automaat zijn me te zomers en feestelijk. Ik heb in geen jaren Cécémel gedronken, ook al hebben we het de laatste jaren regelmatig in huis. Ik voel de ijskoude, stroperige chocolademelk diep in mijn buik glijden. Het zou dertig jaar geleden kunnen zijn. Ik zuig gulzig aan het rietje, als een kind dat de tepel vindt. Ik zou een sigaret kunnen opsteken, sterke drank drinken, het is me toegestaan. Het is iets wat mannen zouden doen, mocht dit een film zijn. In een film zat ik nu in een café, maar in een boek weet ik het nog niet zo zeker. Zou de schrijver op het idee komen om mij Cécémel in handen te duwen, als hij niet zelf in een toestand vergelijkbaar met de mijne voor een drankenautomaat in een verlaten wachtkamer van een intensive care heeft gestaan? Ja, dat lijkt me wel. Ik denk dat ik wel zoiets zou verzinnen. Een echt dramatische scène zou het niet opleveren. Ik zou iets moeten stukmaken. Het laatste restje Cécémel uit het kartonnetje slurpend zou ik ergens, met volle kracht en overgave, tegenaan moeten stampen.

Tereza en ik worden een soort reisgidsen. We halen onze familieleden op bij de hoofdingang van kliniek 12 en begeleiden hen via liften, gangen, schuif- en klapdeuren naar Renée. We leggen uit wat er gebeurd is, een verhaal dat we snel polijsten tot zijn essentie, opgeluisterd met markante details, en we geven een prognose van de gevolgen, wat er in het ergste en beste geval staat te gebeuren. Het is een hoop om te verwerken, het beeld en de tekst. Voor hen is het of alles nu pas gebeurt, nu zij hun Renée in dit bed zien. Het is vreemd, maar na de bezoekjes, in de wachtkamer of cafetaria om kort na te praten, voelen Tereza en ik het allebei: we hebben een dag voorsprong. Ons verdriet lijkt een dag ouder. Rijper.

Niet Vanessa, niet Angelique, maar Deborah bekommert zich nu om Renée. Bizar, want Angelique is er nog, heeft nog dienst. Ze lacht ons toe als ze langs box 4 loopt, maar anders, letterlijk op een afstand. Ik begrijp het niet. Deborah is een prima verpleegster, maar waarom haar box 4 toewijzen als Angelique het al gewoon is en Renée al een beetje kent? Deborah is groot, met blonde krulletjes en een witte bril. Haar Crocs, een rubberachtig sandaaltje dat gemaakt lijkt voor gebruik op een glibberig keistrand, maar in het ziekenhuis deel is geworden van het verpleegsteruniform, heeft ze versierd met bloemetjes en kikkers, speldjes speciaal voor dit schoeisel bedacht. Angelique is een mediterraan type, klein, donker, stevig – jong nog, allemaal zijn ze nog jong. Angelique draagt het hart op de tong. Haar omgang met Renée was lief en teder, ze streek over haar arm, kneep in haar hand, sprak haar toe als een moeder. Waarom haar bij Renée weghalen? Tereza lacht een beetje om mijn vraag; voor haar is het geen vraag. Angelique, en ook de andere verpleegsters, worden in bescherming genomen door hun regelmatig andere patiëntjes toe te kennen. Het gevaar op een te hechte, emotionele band met één bepaald kind voor wie ze drie, vier shiften na elkaar intens zorg dragen, is niet van de lucht. Kinderen hier, in de picu, zijn kinderen die ofwel snel vertrekken naar een ander deel van het ziekenhuis, ofwel overlijden.

Het is na zevenen als we 's avonds kennismaken met dokter Verryckt. Ze is de collega van dokter De Jager, samen leiden ze de picu. Degene met nachtdienst slaapt in het ziekenhuis, een wekelijkse beurtrol. Ze leunt met haar achterwerk tegen het bed van Renée. Qua lichaamsbouw hetzelfde type vrouw als dokter De Jager, alsof het een voorwaarde is voor deze job. Zij laat haar doktersjas openhangen. Ze draagt witte gympen en een jeans en een effen, katoenen trui met hoge, ronde hals. Ze draagt geen make-up, niet omdat ze vanavond werkt, maar omdat ze nooit make-up gebruikt. Sommige vrouwen verdragen geen make-up. Ze worden nooit een schilderij, je blijft een canvas zien met verf op – zonde van beide. Dokter Verryckt heeft van die witte, onderhuidse bobbeltjes om de ogen, in haar geval hebben ze een verjongend effect, als waren het zomersproetjes. Ik stel me voor dat ze er als zestienjarige precies zo uitzag. Het lijkt daarom of ze alleen maar om haar autoriteit te benadrukken de gewoonte heeft aangenomen in gesprekken met ouders stevig de armen te kruisen. Ik vind haar meteen aardig. Ontwapenend, ook. Voorlopig blijft de oorzaak van de infectie onbekend. Er zijn nog verschillende kweekjes in het labo, die ons over een paar dagen ongetwijfeld een beter inzicht zullen geven.

Met de stolling van haar bloed is verder alles oké. Ze wijst naar het moederschip en zegt dat zij een goede verhouding hebben gevonden tussen de verdoving en de medicatie. Het is, maar we moeten voorzichtig blijven, geen slecht teken dat de druk vandaag maar met een paar eenheden is gestegen. Ze had meer verwacht, ja. We mogen niet vergeten dat het nog vroeg is, maar het is geen slecht begin. Haar stopwoordje is: een stuk. Een stuk onderzoek, een stuk geduld. Op onze rechtstreekse vragen over Renées toekomst weigert ze in te gaan. Het blijft een stuk gissen, het is te vroeg. Ze zegt dat ze mij gezien heeft in de wachtkamer, of beter gehoord. Ze knikt naar de Olivetti naast mijn stoel. Ze neemt aan dat Renée erg vertrouwd is met het geluid. Als ik dat wil, mag ik ook hier naast het bed typen. Renée kan mij dan horen schrijven, zoals thuis. Ik voel dat ik het niet meer houd, ik kijk naar de grond, ik wil haar kussen, deze vrouw. Ze zegt, ik heb je gezien in het Journaal. Ze zegt, jullie moeten proberen vannacht te slapen.

Het kamertje op de pediatrie in kliniek 6 stelt niet veel voor. Op het einde van een gang, kleiner dan de overige kamers, een berghok voor matrassen en rollend materieel. Ik help twee verpleegsters met het verhuizen. Er is plaats voor een opklapbedje links en rechts, tussen de hoofdeinden past een nachtkastje. De plattegrond ligt vast, de bedden altijd gescheiden, hier wordt geslapen. We zijn te moe om ons beledigd te voelen, wij, die hier een potje gaan schreeuwneuken, met ons kind in coma? We begrijpen de boodschap, de voorzorg, we voelen ons niet geviseerd, we zijn dankbaar voor de logies. De klinieken zijn gebouwd in de jaren zeventig, lelijk, uniform, kleurloos, met aluminium beraming die ook rijkelijk binnen in de gebouwen gebruikt wordt, bijvoorbeeld om kamers te maken, onderaan gevuld met grijs bordkarton, daarboven met melkglas. We kunnen het jongetje naast ons horen ademen.

Wakker worden. Het is de eerste keer. We doven het nachtlampje met een gevoel van lichte hoop. Dokter Verryckt heeft ons opgekrikt. Nog een paar uur en Renée heeft deze dag overleefd. Ze vecht. Morgen weten we meer. Ik slaap zonder te dromen. Ik ben er even niet, twee, drie uur. Even is er niets gebeurd. En dan word ik wakker in het universitair ziekenhuis, op een veldbed, en gebeurt het allemaal opnieuw. Ik veer op van de eerste knauw van inktzwart verdriet: het is uitgehongerd, het heeft uren op me gewacht. Het is als een paniekaanval in een vliegtuig, een val in ijskoud water: ik moet eruit! Tereza zit al bij me op bed, probeert me in bedwang te houden, in mezelf. Ik hoor ze wel, de geluiden die ik voortbreng, de afstotelijke klanken die me normaliter uit diepe schaamte doen ophouden, maar ik heb geen plaats, geen tijd, mijn zelfbewustzijn moet machteloos toekijken. Ik ga kopje-onder, ik bén kopje-onder, ik klamp me vast aan Tereza, die me niet sust maar aanmoedigt. Ik besef dat ik hiervoor nog nooit heb gehuild, altijd geprobeerd heb om op te houden. Ik vouw als het ware open, ik maak plaats, één zalig moment is me verliezen in het verlies een soort winst. Dan ebt het weg en volgt de lege uitputting.

Dit huilen is niet zonder gevaar; het blijft nooit zonder gevolgen. Wanneer precies weet ik niet, ergens tijdens de woedende storm: er is iets geknakt. – Nee, verkeerde woord, het cliché past niet. Losgeraakt, er is iets op drift. Het zwerft door mijn romp, het is fysiek. Ik zou niet kunnen aanduiden waar het ooit thuishoorde. Het zit steeds op de verkeerde plek. Het zal mij in niets belemmeren, maar bij alles wat ik voortaan doe, of niet doe, zal het er zijn, op weer een andere, verkeerde plek.

In de lange gang naar de picu hebben we de gewoonte aangenomen om de houten stokjes aan te raken die de ficussen overeind houden in hun pot. We kunnen het niet niet meer doen, zegt Tereza. We worden nog niet binnengelaten, Renée wordt gewassen. Door het raampje in de deur zien we een nieuwe verpleegter aan het werk in box 4. Peggy heeft een snorretje, het past als geknipt bij haar norse doen. Ze toont geen greintje betrokkenheid. Lelijke handen, grof, ze lijkt te bruut voor deze afdeling. Onze verdedigingsmechanismen schieten onwillekeurig in gang. Alles wat we intussen afweten van het moederschip controleren we. Ik bekijk het druppen van de verschillende katheters. We controleren de instelling van de medicijnpompen, deze met Amerikaans alarm, injectiespuiten gevuld met medicatie die door een pompje langzaam worden leeggeknepen in een slang, de snelheid waarmee het medicijn wordt toegediend. We kijken onder de lakens naar haar lies, of er geen bloed in het infuus komt. Na een paar minuten keert de rust terug, we kussen Renée, manoeuvreren ons gezicht tussen de slangen om zo dicht mogelijk bij haar te komen. Ik kus haar vlak naast de sonde op haar schedel. Tereza strijkt met de top van haar pink balsem op haar droge lippen. Met één hand, met mijn duim, masseer ik licht haar voetzolen. De druk is één eenheid gestegen, vijf verwijderd van de bovengrens.

Keer op keer word ik teruggeslingerd naar die twee oneindige uren. Ik verontschuldig me bij mijn dochter. Ik zie de man met de baard, Mieke, haar moeder. Zal ik ooit uit de oranje bank geraken? Hoe langer ik erover nadenk, hoe groter de verbijstering. Ik voel mijn vingernagels in mijn handpalmen drukken, alsof ik met mijn roerloze vuisten mezelf te lijf ga. Ik druk harder, wil mijn huid doorboren, maar mijn nagels zijn niet lang genoeg, stomp. Belachelijk. Alsof dat iets zou veranderen, alsof een tuttige blijk van zelfhaat mij kan vrijpleiten. Dokter De Jager kan zeggen wat ze wil, uitdrukkelijk: nee, dit was niet te voorkomen, de ader gaat dicht en dat is dat, opereren was uitgesloten – met geen twee dokters krijgen ze me uit die bank.

We hebben een badge gekregen waarmee we met korting kunnen eten in de cafetaria. We willen ontbijten, maar net als we binnenkomen, neemt een dienster in een bleke schort en slordig haarnetje de bakplaat met broodjes op en draagt die naar achteren. Als ze weer tevoorschijn komt, zegt ze: het ontbijt is maar tot halftien. Ze

acht ons geen blik waardig. Boven de kassa hangt een
digitale klok. Het is 9 uur 26. Ik zeg dat we graag willen
ontbijten, het is nog geen halftien. In één oogopslag zie
ik dat het voor de vrouw alleen een kwestie is van brood
halen en geld ontvangen – de rest staat in de koeltoon-
banken, we eten in de grote zaal en schuiven na afloop
zelf ons dienblad in het karretje. Ze hoeft alleen wat
brood te halen en ons geld te ontvangen. De mise-en-pla-
ce voor de lunch, meneer, zegt ze hooghartig. In de zaal
zitten haar collega's, allemaal met haarnetjes op, pak-
weg vijftien vrouwen die lui achteroverleunen na zich
vakkundig te hebben volgestouwd. Nu mag zij ontbijten,
nee, het is nog geen halftien, maar om halftien wil ze
zitten, ja, dat heeft ze wel verdiend, dat zullen wij niet
voor haar vergallen, iedereen weet dat het om halftien
voorbij is, sommigen proberen het toch, niet met haar,
als je één keer toegeeft is het einde zoek. Dat is wat ze
ons meedeelt met de wijze waarop ze achtergebleven
broodkruimels afneemt. We zouden graag ontbijten, zegt
Tereza. Sorry voor de overlast. We hebben een badge.
We wisten niet dat het maar tot halftien kon. Ze grist
de badge uit Tereza's handen en werpt een vuile blik op
voor- en achterzijde. Gooit de badge, die ons identificeert
als mensen die hier langdurig op bezoek zijn bij een ern-

stig ziek gezinslid, op het inox naast de kassa en sleept
zich laatdunkend naar achteren. Ik tril op mijn benen,
Tereza geeft me een duw en zegt, ga maar vast zitten.

Een miserabel pokkenwijf dat stinkt uit haar oren; dat
doen ze allemaal, stinken, met hun kleine, marginale
intrigetjes van zij-heeft-twee-sigaretten-van-me-geleend-
en-niet-teruggegeven, van zij-wist-dat-ik-dan-verlof-
wilde-en-toch-heeft-ze-het-gevraagd, van ik-heb-gisteren-
weer-zus-en-zo-en-zij-nog-nooit-nog-niet-één-keer, over-
bemand en klagen tot ze omvallen, altijd verongelijkt,
alles te veel, och arme ik, met hun huifkarren van klon-
terkonten en hun zwaaiende puntzakken vol afgewerkt
frituurvet, hun stuitende egocentrisme, hun stompzin-
nigheid die dik als pap van hun opgezwollen, domme
koppen drupt. Walmende afvoerputjes voor waardeloos
zaad. Evolutionair restafval, te min om aan de varkens
te voeren. In een rij tegen de muur, zonder blinddoek.
Jantjes moeder had drie zonen: Pief, Poef en...?

De man moet wel een dokter of ervaren verpleger zijn.
Maar het winkelkarretje dat hij voortduwt, zet alles op
zijn kop. Gevraagd: dakloze. Ervaring met winkelkar-
retjes vereist. Opleiding intern. Elke dag legt hij dezelfde

weg af, van de ene kunstmatig beademde patiënt naar de volgende. Zijn hebben en houden bestaat uit een paar dikke platen en verscheidene röntgenfoto's genomen van longen vatbaar voor ontsteking. Hij is bedreven, als een dakloze in de kunst van het overleven. Een routineradioloog, die zwijgzaam en onopvallend door het ziekenhuis zwerft. Komt het door het winkelkarretje dat hij anders beweegt dan andere dokters? Heeft het hem langzaamaan van zijn status beroofd? Wordt hij gemeden, is hij een wandelend voorbeeld van hoe het je als hooggeschoolde arts kan vergaan? Waarschuwt het klapperende linkervoorwiel als een ratel voor besmetting? Hij drinkt, stiekem, halverwege de lange gangen in de beschutting van zijn hoge schouders, hij kan de blikken niet meer verdragen. Hij wordt ontslagen. Hij komt niet meer buiten, komt niet meer uit de bank, en verdrijft daarmee zijn vrouw. Op een dag zit een man in een driekwartoverjas met Schotse voering te typen aan zijn eettafel. Als hij klaar is, verlaten ze samen het huis.

Het is een geweldige illusie: hoe meer ik schrijf, hoe beter Renée wordt. Haar redden door woorden op papier te slaan. Ik tik blind, speur intussen naar kleine veranderingen op haar gezicht, in haar hartslag. Ik wil graag geloven dat het geluid haar aanvankelijk opwindt en daarna lange tijd kalmeert. Verweeft ze die geluiden in haar diepe, schimmige dromen? Het belletje, maakt het belletje haar vrolijk? Wordt dit haar vroegste, onaanwijsbare herinnering, de opgewekte ting van de Lettera 32? Zal ze, lang na mijn dood, de machine terugvinden en bij het horen van het belletje onverklaarbaar hard moeten huilen van geluk?

We proberen ons af te sluiten voor alles wat buiten box 4 plaatsvindt. Gaandeweg dringt het leed van andere kinderen en ouders tot ons door. De deur van de controlekamer staat altijd open. Bij kalme momenten, bij het bereiden en verzamelen van geneesmiddelen, het bijvullen van de bandages en doeken en ontsmettingsmiddelen, horen we de verpleegsters met elkaar praten. De geopende deur werkt als een akoestische spiegel, het geluid dat de controlekamer verlaat, wordt om het hoekje pal in box 4 gericht. Vanessa heeft gisteravond nog snel het gras gemaaid. Angelique ontbijt elke dag met frambozenconfituur. Melissa heeft geprobeerd lasagne te maken, alleen al de mededeling zorgt voor onderdrukte hilariteit. Box 2 is een gescheurd maagvlies met bloed in de stoelgang. Box 3 een hersenschudding. En dan is er nog box 6, die voor zichzelf spreekt. Het meisje van een jaar of acht werd voor haar huis gegrepen door een dronken chauffeur. Maanden geleden kwam ze hier verhakkeld aan. Nu is ze verhakkeld en pisnijdig en rebels. Wat we horen, steeds in vlagen van een paar minuten, is een onnatuurlijk traag en langgerekt god-ver-dom-me. Het zou grappig kunnen zijn, een meisje van acht dat vloekt als een ketter. Niet hier. Niet als dit het enige is wat ze met het uiterste van haar krachten nog voor elkaar krijgt, daarna uitgeput in slaap valt.

De druk is sinds deze morgen niet meer gestegen. Bijna zijn we achtenveertig uur na het infarct en de druk blijft vijf eenheden uit de buurt van de bovengrens. We durven niets te vragen aan de dokters, we willen onze prille hoop niet eigenhandig de kop indrukken. We hebben geen grote fluctuaties gezien, we denken dat we mogen aannemen dat de druk, als die nog zal stijgen, gelijkmatig zal veranderen, in hetzelfde tempo als tot nog toe. Als we nog één dag in de gevarenzone te gaan hebben en de voorbije zesendertig uur maar een stijging met drie eenheden hebben gezien, is het dan onredelijk om te hopen?

Ze zál blijven leven. Tereza en ik twijfelen niet meer. Renée is koppig. Ze vecht. De druk is stabiel. We omhelzen elkaar en praten over dit geschenk, onze nieuwe Renée. We krijgen een nieuwe Renée, anders dan andere kinderen, een buitengewoon meisje, we zullen haar nog feestelijker verwelkomen dan de vorige keer. Onze liefde is vermenigvuldigd, kan niet groter zijn. Telkens als we de picu betreden, stappen we een kraamafdeling binnen, begeven we ons naar een wieg. Ze is zo mooi. Het lag besloten in haar naam. Ze zou herboren worden, haar nieuwe leven was voorbestemd. Onze toekomst met haar rolt zich voor ons uit als een rode loper. We zijn uitverkoren. Andere mensen zullen ons benijden.

Bezoekuur. Mijn vader stort in aan het bed van zijn enig kleinkind. Het zicht van de kale strook en de sonde in de schedel, het drukke verkeer door neus en mond, de imponerende omgeving, ik wil het wel begrijpen, maar het lukt me plots niet meer. Hij huilt als aan een sterfbed, nadat Tereza en ik alles hebben uitgelegd in de wachtkamer, onze eerste, breekbare hoop met hem en mijn moeder hebben gedeeld. Het is of ze ons niet hebben gehoord, doof van verdriet dat niet evolueert, dat koppig heeft postgevat bij het schokkende nieuws van

een herseninfarct. Toch niet Renée, hoor ik hem jamme-
ren. Ook daarna, in de cafetaria, dring ik niet tot hem
door. Ze is nog geen vier, schudt hij verslagen het hoofd.
Ik onderdruk mijn opkomende ergernis, hij doet het niet
opzettelijk. Ik wil alleen dat hij rekening houdt met ons
zoals wij met hem. Het zou mij verbazen indien hij van
ons verwacht dat wij wél de kracht hebben om zijn koppig verdriet het hoofd te bieden, maar als daartoe een
poging wordt ondernomen, zou wat medewerking welkom zijn.

Een uurtje later neemt Marie, mijn zus, het voor hem
op. Hij is een gevoelige man, altijd geweest. Ik zeg dat
ik dat niet minder ben. Ze zegt dat hun 'achterstand'
normaal is, en ook voor haar invoelbaar: Tereza en ik
leven in het ziekenhuis, zitten uren aan haar bed; onze
ouders zagen hun kleinkind pas voor de tweede keer,
gedurende een paar minuten. Ik mag niet te streng zijn.
Ik zeg dat ik helemaal niet streng ben. Ik zeg dat ik geen
gejammer wil aan haar bed, zelfs geen tranen meer. Met
tranen schiet Renée geen fluit op. Er moet gepraat worden, ze heeft behoefte aan bekende stemmen, geruststel-
lende geluiden, we moeten aan háár denken, niet aan
ons eigen verdriet. Dat is voor thuis, maar ook daar het

liefst in het donker. Voor de spiegel, desnoods. Renée leeft. Er zal niet om haar gerouwd worden. Marie drinkt van haar thee met citroen en zegt dat het normaal is dat ik boos ben. Ik zeg, ik ben niet boos. Was ik boos, echt boos, dan zou je nooit van je thee drinken en vervolgens zeggen dat het normaal is dat ik boos ben. Je weet dat ik, wanneer ik echt boos was, zou ontploffen. Als je echt geloofde dat ik boos was, zou je nooit zo tegen me spreken. Ze legt haar hand op de mijne, zegt, je hebt gelijk. Glimlachend kijkt ze naar de andere tafeltjes en zegt, je hebt altijd gelijk. Op slag zijn we tieners in Zingene: ik stomp haar tegen de schouder en zij stompt veel te hard terug, zodat ik haar opnieuw moet stompen.

Als we weer veertig en zesendertig zijn, vraagt ze voorzichtig of ze me mag feliciteren. Met het Gouden Buikbandje. Ik haal mijn schouders op. Natuurlijk mag dat. Ze heeft het fragment niet gezien, iemand heeft het haar verteld, beschreven. Natuurlijk mag ze me feliciteren. Ze zegt gisteren een paar telefoontjes te hebben gekregen. Een paar – negen om precies te zijn. Ze heeft meteen moeder en vader verwittigd, ze beantwoorden net als zij alleen nog oproepen van bekende nummers. Het fragment staat op YouTube, alle kranten hebben een link op

hun homepage. Ze vraagt of ik vanmorgen kranten heb
gezien.

De druk is de hele dag niet gewijzigd. Haar hartslag,
bloeddruk, alles is stabiel. Alles is onder controle. Tereza is gaan slapen, ik blijf nog even zitten. Ook in de
picu is het rustig: geen nieuwe patiënten, geen nieuwe
drama's, alle geluiden vertrouwd. Voor het eerst sinds
zaterdag voel ik mijn lichaam ontspannen. Het is tien
uur, ik weet dat ik diep zal slapen, ik geniet van het
uitstel, het gevoel dat mijn ogen sluiten zal volstaan.
Ik bedenk dat Renée op geen veiliger plek kan zijn dan
hier. Omringd met de beste zorgen. Ik voel me, het is een
vreemde gewaarwording, thuis in de pediatric intensive
care unit in het hart van het universitair ziekenhuis. Ik
hoop dat Renée mij hoort tikken. Als ik niet tik, fluister
ik in haar oor. Ik vertel haar over mijn Meneer de Uil,
toen ik klein was. Ik hoop dat ze, net als ik toentertijd,
een Meneer de Uil heeft, met twee oplichtende ogen, die
haar in het donker gezelschap houdt.

Ik zie het nu pas. Bijna vier jaar al is Beer prominent
in beeld, en nu pas zie ik dat hij links op zijn hoofd is
bijgelapt – als was het een pleister! Worden alle teddy-

beren zo geboren? Hij ligt onder haar verlamde arm, schijnbaar bang om zich te verroeren, en heeft net als Renée een hoofdwond. Als het zo is, waarom worden teddyberen dan gehavend geboren? Om het medelijden op te wekken van de hardvochtige peuter? Was hij oorspronkelijk gezond en gaaf, maar werd hij, doordat knuffels vroeger niet zo goedkoop waren en hoe dan ook zwaar en langdurig op de proef werden gesteld, almaar opgekalefaterd, waardoor het beeld is ontstaan dat vandaag standaard wordt geïmiteerd? Of is dit toch een van die adembenemende capriolen van het toeval?

Als ik haar goedenacht heb gekust en de verpleegsters gegroet, ben ik de enige in de gangen van kliniek 12. Je zou jezelf heel bang kunnen maken door 's avonds tegen elven in de tl-verlichte gangen te lopen van een verlaten kliniek 12. Ik probeer mijn galmende voetstappen in het ritme te houden, niet over mijn schouder te kijken, de klapdeuren de tijd te geven om zich achter mijn rug te sluiten. Buiten kan ik een gevoel van onrust niet van mij afschudden. De pediatrie, in kliniek 6, ligt honderd meter verder, aan de andere kant van een grasveld, naast de parkeertoren. De site van het ziekenhuis is muisstil, er zijn geen auto's op de wegen, het voelt of er iets aan mijn oren scheelt, of ik uit een hels lawaai ben gestapt. Het is of de donkergrijze nachtlucht – boven de stad wordt de nacht nooit zwart – een stolp is die alle geluiden buitensluit. Ik sta er alleen voor. Ik klak met mijn tong, kan het horen, maar kort voor mijn gezicht is het geluid al verdwenen, gesmoord. Alles wat ik zie, baadt in het onwezenlijke, schimmige oranje van de natriumlampen in de straatverlichting. Ik ben een miniatuur van mezelf die op een maquette van het ziekenhuiscomplex voor de ingang van kliniek 12 staat. De konijntjes op het grasveld bewegen niet. Voor het eerst kan ik me bij pleinvrees iets voorstellen. Het lijkt me onmogelijk om een zo goed als leeg grasveld van deze omvang over te steken. Dan maar niet de kortste weg naar kliniek 6. Ik volg de straat, de route van het autoverkeer. De fietspaden zijn nieuw bespoten met een rode kleurstof, het stinkt naar chemicaliën. Ook de wegmarkeringen zijn nieuw. Ik loop niet op het smalle voetpad, maar op het asfalt. Als ik bij de parkeertoren kom, staat aan mijn rechterzijde een rood, achthoekig verkeersbord, met daarop vier witte hoofdletters: stop. Ik weet zeker dat ik dit bord nooit eerder echt gezien heb. Het lijdt geen twijfel aan wie de boodschap is gericht. Ik sta stil voor de witte streep op het wegdek. Rechts kan ik een eind kijken, links is er dichtbij een zwart gat, een scherpe bocht om de hoek van de toren. Een auto die onvoorzichtig deze bocht neemt, kan mij aanrijden. Maar ik hoor niks, geen motor, er is geen autoverkeer: ik weet dat het eigenlijk niet kan, en tegelijk weet ik dat ik snel zal moeten zijn, zo snel mogelijk. Als in een film van David Lynch weet ik dat er om de hoek een auto staat, die wacht tot ik oversteek.

De brandblusapparaten. Twee identieke, zware flessen, naast elkaar boven het voeteneind van Tereza's bed. Reserveflessen, in de gangen van de pediatrie zijn op verschillende plekken brandslangen voorzien. Ik lig tegen Tereza aan, tegen haar rug, ik probeer haar te omvatten, van haar kruin, met de onderkant van mijn kin, tot haar tenen, met mijn voetwreven, een warme schelp op maat. Het stille huilen is snel opgehouden. Ik lig met mijn heup op de ijzeren baar van het veldbed, maar ik houd nog even vol om zeker te zijn dat Tereza slaapt, dat de pijn is gaan liggen, ik wacht op een diepe zucht. Gisteren al wilden de brandblusapparaten mij aan iets herinneren. Wanneer heb ik de laatste keer aan brand gedacht? Ik voel dat de herinnering vorm krijgt en probeert door te dringen tot mijn bewustzijn, ik heb onlangs aan vuur gedacht – rook! Dat was het: rook. Ik zie de vrouw met lang krulhaar op het einde van de rij stoelen. Een wachtkamer, mensen lezen tijdschriften, spelen met hun telefoon. De vrouw weet niet dat ze onderwerp is van een experiment, en wordt gefilmd. Onder de deur komt ineens rook opstijgen. De vrouw merkt het meteen en kijkt naar de anderen, die verder lezen en spelen. De vrouw blijft zitten, zelfs wanneer de rook dikker wordt, ze zit er middenin, er is onmiskenbaar brand aan de andere kant van de deur, maar ze blijft zitten omdat niemand verontrust reageert. 'Peer pressure' – de druk van gelijken. Je gedrag laten afhangen van hoe een groep gelijken in een bepaalde situatie handelt. Achteraf slaat de vrouw haar handen voor haar mond. Ze zat te popelen maar durfde niet weg te lopen, niet als eerste. Twee meter bij haar vandaan was er brand, maar ze was bang om zich belachelijk te maken.

Zijn de situaties met elkaar te vergelijken? Renée slaapt nooit overdag, en toch zit ik op een oranje bank met haar op schoot en onderneem ik niets. Ben ik zo makkelijk uit te schakelen, volstaat een koffietafel met onbekende mensen? Wat voor vader is het, die zijn dochter van bijna vier aan de vlammen zou schenken?

Het is even voor tien uur dinsdagmorgen als dokter Verryckt zich meldt in box 4. Ze komt antwoord geven op
wat we nog altijd niet durven te vragen: ze verwacht
geen oedeemvorming meer. De schedel van Renée zal
niet opengemaakt worden. Het gaatje dat geboord werd
om de sonde in te brengen, groeit vanzelf dicht. Het
goede nieuws maakt ons gulzig, maar voor meer antwoorden moeten we de nieuwe mri-scan afwachten,
gepland voor morgen. Het is even voor halfelf dinsdagmorgen als dokter Verryckt ons blij op de hoogte brengt
van de wijziging in de planning: er is een plaatsje vrij-
gekomen voor een scan, deze middag om drie uur. De
opwinding stijgt ons naar het hoofd. Men zegt dat een
ongeluk nooit alleen komt – komt ook geluk niet alleen?
Is dat onzinnig? Als het ene in de loop van generaties
een ingeburgerde wijsheid kan worden, is het dan zo
onzinnig om over de impliciete variant gelijkaardigs te
vermoeden? Geen oedeemvorming, een vervroegde scan,
en dus vervroegde antwoorden; als we nog recht hebben op een derde portie geluk, dan kan het alleen maar
betrekking hebben op die antwoorden. Als zaterdag een
ongeluksdag was, kan het vandaag onze geluksdag worden. Tereza en ik praten met enige reserve, maar is het
onzinnig? Nee, dat vinden we niet. We voelen ons sterk.

We zijn sterker geworden. We laten ons niet zomaar in het hoekje met het ongeluk duwen.

De kelderverdieping is nu vol leven. In de tunnels en gangen rijden de elektrische wagentjes af en aan. Sommige trekken wel vijf karretjes, vuile was, in grote linnen zakken, gestapeld tussen hoge rasterwanden. De snelheden zijn niet mis; de wagentjes waaraan bedden met patiënten hangen, rijden even gezwind. Het heeft iets van een ouderwetse sciencefictionfilm. Het bed van Renée is geland op een bedrijvige ruimtebasis. Of we zijn via een geheime ingang in een fjord doorgedrongen tot de schuilplaats van een steenrijke snoodaard met megalomane ambities, in een vroege James Bond.

De wachtenden tonen begrip. Koppels, oudere mensen. Nette kleren, gekamde haren, gepoetste schoenen. Renée wordt direct in de kwakende sluis geloodst. Het loopt volgens het schema, maar geeft de indruk dat we voorrang krijgen. Terwijl ik een plekje zoek, hoor ik mensen zeggen dat ze het niet erg vinden. Ze vinden het vreselijk om te zien als weer eens zo'n kindje binnengereden wordt. Een vrouw moet nog drie treinen naar K. halen, maar als ze die sukkelaartjes ziet voorbijkomen in hun bedden, vindt ze het niet erg om wat langer te wachten. Zij kan altijd nog een trein later nemen, nietwaar. Die arme schaapjes. Ze spreekt zo hard dat ik een ogenblik denk dat mijn dankbaarheid wordt afgedwongen, dat ik tot een teken word verplicht, ootmoed om zo veel medemenselijkheid. – Ik ben een eikel. De vrouw verwacht helemaal niks.

Het is ongelooflijk dat ik hier zaterdagavond alleen heb gezeten. Het komt me voor als een eeuwigheid geleden. Het lijkt een herkansing. Ik probeer me anders te gedragen, rustiger, minder emotioneel. Ik moet geloof tonen in de goede afloop, sterk zijn. Waarom blijf je in omstandigheden als deze denken dat je ook maar iets van invloed hebt op de uitkomst? Ik praat met Renée, bedaard, ik vertrouw haar toe dat alles goed zal komen. Ik zeg dat het kabaal van de scanner snel voorbij zal zijn, en dat we elkaar heel binnenkort terug zullen zien. Niet met Renée praten lukt me niet.

Ik zie het eerst Evelyne en Peggy verschijnen. Afgekoppeld van het moederschip is de verplaatsing van Renée een logistiek huzarenstukje. Met z'n tweeën houden de verpleegsters nauwlettend leidingen, slangen, kapstokken met katheters en mobiele apparatuur in de gaten.

Evelyne zegt me dat Renée het goed heeft gedaan – wat dat ook mag betekenen. Ze zegt het op een typerende verpleegtoon, kordaat en bevoogdend, Renée luistert mee. Tereza loopt achter het bed aan. Met één blik vertelt ze niets aan de weet te zijn gekomen. Ik sluit aan bij de stoet, we zijn de ouders van dit zieke kind, het is voor iedereen zichtbaar. We worden geschat op de ernst van de zaak. We zijn als een verkeersongeval op de autosnelweg, onweerstaanbaar.

Dokter Verryckt leunt dit keer wat onhandig met haar achterwerk tegen het bed van Renée. Evelyne is nog volop bezig met het indokken op het moederschip. Naast dokter Verryckt staat dokter De Jager, ze houdt een mapje voor haar buik. Er is kennelijk besloten dat dokter Verryckt het woord zal voeren, hier, niet in het kantoortje zonder computer: een goed voorteken. Dat ze met twee zijn, is een slecht voorteken, slechter dan het goede goed. Zich bewust van onze concentratie op wat ze zal zeggen, pulkt dokter Verryckt vluchtig aan haar neus. Ik durf niet te kijken, ik hoop dat er niets uit haar neus komt bengelen, dat het nieuws dat we dadelijk te horen zullen krijgen, de herinnering eraan, niet voor altijd met dat beeld gepaard zal gaan. Is het doordat ik haar nog maar half aankijk dat zij zich rekenschap geeft van het gevaar, en met een vegende vinger een punt achter het gepeuter zet? Ze schuift de helft van haar handen in de nauwe broekzakken van haar jeans en slaat de ene witte gymp over de andere, en ik weet door de wijze waarop haar mond even blijft openhangen voor ze spreekt, dat het slecht is, dat het niet is waar we op gehoopt hebben.

Het letsel dat zaterdag te zien was, heeft zich zoals verwacht uitgebreid. Echter binnen de perken van hetzelfde gebied. Dokter De Jager zal ons straks de foto's tonen. De schade is groot. In dat gebied worden alle spieren in de rechterzijde van het lichaam bestuurd, en de spraak. De motoriek en de spraak zijn op dit ogenblik verdwenen. Het blijft een vraagteken hoe Renée hieruit zal komen; haar herstel zal afhangen van haar karakter, haar wilskracht, en ook van de verdere ontwikkeling van haar hersenen, in welke mate de besturing wordt overgenomen door de gezonde delen. Maar de kans op volledig herstel is uitgesloten, dat staat nu vast. Zelfs na een lange revalidatie zal er aanzienlijk restletsel zijn.

Tereza en ik zitten als geslagen honden naar de grond te staren. Ik heb ruimschoots de tijd gekregen om de vloerbedekking in de picu te bestuderen. Kunststof, mogelijk ouderwets linoleum, met een extra harde slijtlaag voor intens gebruik, makkelijk te reinigen, want geplaatst in grote lappen, met weinig voegen waarin het vuil kan ophopen, traditioneel gestippeld in wit, groen en grijs om de marmersnippers in terrazotegels te imiteren. Tot mijn verbazing hoor ik Tereza wat onzeker vragen of Renée toch buiten levensgevaar is. Nee, dat blijkt niet het geval. Ze wordt niet langer bedreigd door oedeem, nee. Maar tot ze weer zelfstandig ademt, is ze niet buiten gevaar. Tot ze is ontwaakt uit haar coma. Soms is dat meteen, soms duurt het weken, soms langer. Het is onmogelijk te voorspellen. Het lichaam ontwaakt pas als het daar klaar voor is. De verdoving zal gradueel afgebouwd worden. Dokter De Jager heeft ons zaterdag geïnformeerd over mogelijke blindheid. Daarom, zegt dokter Verryckt, is het belangrijk in de buurt te blijven: als Renée wakker wordt, moet ze één van ons kunnen horen.

Als we een tijd hebben gezwegen, legt dokter Verryckt haar hand op de knie van Tereza en zegt dat ze ons nu even alleen zal laten.

Wat er daarna gebeurt, zal me lang bijblijven. We zijn
vodden, Tereza en ik, eerst hebben we de kracht niet
om elkaar zelfs maar aan te kijken, om te spreken of
te troosten. Ik wil ophouden, ik wil niet meer mij zijn.
lk wil dit lichaam, boordevol pikzwart niets, verlaten.
Ik heb in Emiel Steegman niets meer te zoeken. En ik
besef dat het zou kunnen lukken: een bed, een deken,
een paar minuten in het donker van mijn gesloten ogen
– een besef als een verlossend voornemen. Dan komt een
man de wachtkamer binnen, hij trekt een opklapbaar
karretje voort met daarop frisdrank voor de automaat.
Hij geeft ons een knikje, haalt de enorme ring met sleu-
tels van zijn riem en opent de deur van de automaat.

Is de man in de wachtkamer God? Misschien treedt Hij
één keer in een mensenleven op, een cameo. Misschien
is Hij niet in alles, niet in alles tegelijk, maar zeer af en
toe in één enkel iets. Nooit op verzoek, geen circusaap.

Het is niet opzienbarend. Maar daarom juist wel: opzienbarend omdat het in wezen niets voorstelt. Met zijn
rug naar Tereza en mij gekeerd, vult de man blikjes
bij. Wij kijken toe. Meer valt er werkelijk niet over te
melden. Als de man klaar is en precies verdwijnt zoals

hij verschenen is, de handelingen gespiegeld, zijn de noord- en zuidpool van plaats gewisseld, en heeft al dat pikzwarte niets een andere lading gekregen: vrede. Ik kan geen beter woord bedenken. Eerst was er niets, dan, zonder dat we de overgang merken, is er een bodemloze vrede met wat komen gaat. Ik begrijp niet hoe het kan. Zo gebeurt het. De automaat is gevuld, en wij hebben vrede.

Dinsdagnacht laat Vanessa, hoofdverpleegster, op eigen initiatief Renée een uurtje zelf bijademen. Er doen zich geen problemen voor. Daarna is Renée erg vermoeid, haar hartslag daalt onder de zestig.

We proberen ons voor te bereiden. Hoe zullen we ons kleine meisje kunnen kalmeren als ze half verlamd en sprakeloos ontwaakt in het aardedonker? Hoe moeten we haar uitleggen wat er aan de hand is? Hoe zullen we de claustrofobische paniek bedaren, die me zelf plaats-vervangend naar de strot dreigt te grijpen? Dokter De Jager zegt dat Renée zich niets van het infarct zal her-inneren. Ze zal zich wellicht het verjaardagsfeestje van Amélie niet herinneren, noch de rest van de zaterdag of de dagen ervoor. Niet meteen. Het is een terugkerende pathologie, een stressbepaalde, zelfbeschermende reflex van het systeem: tijdelijk geheugenverlies. Te vergelijken met flauwvallen.

We hebben voortdurend fysiek contact, we spreken met haar door onze huid. Men raadt ons aan vooral haar rechterarm en -been te strelen. Ze is verlamd, maar niet gevoelloos. Hoe meer we, nu al, die kant prikkelen, hoe beter. De revalidatie is opgestart.

Een mri-scan doet wat vroeger echt werd gedaan: de hersenen, als was het een edammer, in dunne plakjes snijden. Nu dus virtueel, magnetisch, elk plakje een foto. Door ze snel na elkaar te projecteren ontstaat de gekende illusie van bewegend beeld, iets wat voor onze ogen plaatsgrijpt, maar waar we onmogelijk getuige van kunnen zijn – het is of we de eerste voorstelling van de gebroeders Lumière bijwonen: we reizen door de hersenen van ons kind, van boven naar beneden, en terug. De onbereikbare schatkamers ontbloot. De gapende donkerte van deze die beroofd zijn van hun kostbare cellen, ondergelopen met steriele vloeistof, serum, de sporen van baldadige geweldpleging op de hersenschors. Daarna een 3D-beeld van alleen maar het complexe netwerk van geheime gangen, als een boomkruin vertakt. De symmetrie met het middendeel in de rechterhelft gaat niet meer op, de adertjes knoestig, gekromd, broos. Ondanks deze nanoprecisie kan het beeld geen onderscheid maken tussen littekenweefsel van een infectie en een aangeboren afwijking – aangeboren, niet genetisch. Alleen een biopsie of een beeld voor het infarct kan hierover uitsluitsel geven, en beide zijn uitgesloten. De waarheid zit op slot. In Europa blijken er maar zestien gelijkaardige gevallen bekend te zijn, in de Verenigde Staten en Canada samen drieëntwintig. Dit soort herseninfarct bij een kind van bijna vier, het is als de loterij: een kans van één op tientallen miljoenen. Statistisch hebben de dokters geen been om op te staan, er zijn te weinig gevallen om iets te kunnen beweren. Wat haar toekomst neurologisch te bieden heeft, is statistisch onbekend.

Nadat ze woensdag van drie uur 's middags tot elf uur 's avonds goeddeels zelfstandig geademd heeft, en haar bloed goed zuurstof opneemt, wordt donderdagmorgen besloten om over te gaan tot 'detubatie'. Het is een riskante onderneming, ze heeft sinds middernacht geen voeding meer door het neusinfuus gekregen – Nutricia, makers van Cécémel – om te voorkomen dat er tijdens de ingreep braaksel in de luchtwegen komt, in welk geval de beademing onverwijld weer de luchtpijp in moet. Iedereen verzamelt rond haar bed, wij worden naar de wachtkamer gestuurd. We leunen tegen de automaat, de hoge trilling van de motor, een zoemen dat horen en voelen tegelijk is, vult onze tegen elkaar gedrukte ribbenkasten. Vijf minuten later zien we het stralende gezicht van Vanessa – kom maar. Renée wordt nog even met een maskertje zuurstof toegediend, daarna ademt ze helemaal zelf, zonder vangnet. Iedereen staat in box 4, iedereen lacht de tanden bloot en knippert de tranen weg en kijkt naar Renée.

Als Tereza vroeg in de ochtend van vrijdag 18 juli de wacht van me overneemt, heeft Renée haar hoofd bewogen en licht gefronst. De geluiden van de picu – het is een drukke nacht met een hectische opname, veel gepraat en geloop – moeten tot haar doordringen. Ze krijgt zo goed als geen verdoving meer. Angelique zegt dat patiëntjes héél geleidelijk wakker worden uit kunstmatige coma's: misschien zijn dit de eerste tekenen. Ze blijft minutenlang bij me staan, ondanks de drukte, maar Renée fronst niet meer, beweegt niet meer. Ik heb het duidelijk gezien. Angelique zegt dat ze me gelooft. Ik geloof haar.

In ons kamertje hangt nog de slaap van Tereza. Ik ver-
beeld me dat de frons geen toevallig zenuwtrekje was,
maar een blijk van diep ongenoegen. Het moet een gun-
stig voorteken zijn. Wie anders kan tweemaal geboren
worden, tweemaal met een frons? Ik kan niet slapen, ik
ben doodmoe, maar het lijkt of de cafeïne van wel vijf espresso's mijn hart bestookt. Net wanneer ik beslis om Tereza met een tekstberichtje te vragen of zij nog iets heeft
gemerkt, gaat mijn telefoon. Tereza. Ze zegt: 'Kom. Nu.'

Ik ren over de grasvlakte, ik spring over de makke konijntjes. Tereza heeft haar redenen om me op te bellen,
en om alleen maar die twee woorden te zeggen. Telefo-
neren in de picu is verboden. Ze is naar de wachtkamer
gelopen, heeft mijn nummer aangetikt, gewacht op de
verbinding en 'Kom. Nu.' gezegd. Haar buitengewone
beheersing wijst op grote opwinding. Ze wist niet dat
ik nog wakker was, ze wist dat een telefoontje me de
stuipen op het lijf zou jagen, maar ze had geen keuze. Ze
moest beheerst praten om me niet werkelijk een hart-
aanval te bezorgen. Ze moest snel terug naar Renée, ze
wou vermijden dat ik haar nog een vraag kon stellen, of
dat haar stem het verkeerde signaal zou geven. Ze heeft
me een gesproken tekstbericht gestuurd, bang dat ik een

gewoon niet tijdig zou opmerken. Als ik kliniek 12 bereik, krijgt mijn hoofd geen zuurstof meer en stopt het denken; mijn benen eisen alles op.

Het duurt een seconde of drie, ruim bemeten, de tijd loopt vanaf het ogenblik dat de gordijnrand van box 4 de rug van een verpleegster onthult, om precies te zijn, de welving van een pronte derrière in uniform, gevolgd door rechte schouders boven een holle rug, Angelique, een meter verwijderd van het voeteneind, tijd om te luisteren naar wat ze zegt, hoe ze het zegt, en dat te koppelen aan haar gezicht dat ik en profil zie, heb ik niet, omdat mijn blik, naarmate ik dichterbij kom, dieper in box 4 op dokter De Jager stoot, links van het bed, ze lijkt klaar te staan om in te grijpen, ze is uiterst geconcentreerd, zegt niets, haar rechterhand steekt in de zak van haar doktersjas, beweegt daar, betast er iets, ze zou mij kunnen zien, mocht ze niet zo geconcentreerd naar het bed kijken, en waar het silhouet van haar witte jas ophoudt, begint Tereza's heup, haar voorovergebogen houding, de afwezigheid van haar armen die uitgestrekt worden in de kijkrichting van dokter De Jager, en terwijl de houding van Tereza, het kunstlicht, feller dan gebruikelijk op dit uur, de schaduwen die het licht op haar

scherpe, Slavische trekken werpt, terwijl alles wat ik op-
neem, haar ongemakkelijke houding, het licht, de com-
positie, mij doet denken aan de somberte van een Bijbels
tafereel in de barok, een winnaar van de World Press
Photo, categorie daily life, terwijl ik deze denkbeelden
dadelijk uit mijn hoofd ban, mezelf censureer, zie ik in
het centrum van de belangstelling Renée, half overeind,
leunend in dikke kussens, nog maar een seconde is er
verstreken en de volgende, hele seconde kijk ik naar
haar gezicht, dat geen uitdrukking lijkt te bezitten, het
zou het smartelijke ogenblik net voor haar overlijden
kunnen zijn, het wat hangende, toegetakelde hoofdje,
verdwaasd, de gelige kleur van haar huid, angstvallig
probeer ik haar ogen te zien, te zien of zij iets ziet, of
zij kijkt, en dan, uiteindelijk, breekt de derde seconde
aan, de mooiste in veertig jaar Emiel Steegman, die begint met een prikkel in de hersenen van mijn meisje,
een prikkel die langs het oog de hersenen bereikt: er is
nog iemand aanwezig, in de hoek van de box – ik kan
de verbinding, de communicatie, als het ware volgen,
waardoor het mij toeschijnt of ik voorvoel wat er zal
gebeuren, of ik het heb voorspeld, een onmogelijk déjà
vu, of ik, als ben ik God zelf, haar met bovennatuurlijke
krachten opdraag haar hoofdje een weinig in het kus-

sen te rollen, mij aan te kijken, mij te herkennen, zwak
en door de verlamming met de helft van haar mond
schalks te glimlachen en haar linkerarm van het laken
te heffen en naar mij uit te steken...

Twee uren kunnen we onze ogen niet van haar afhou-
den, zijn we niet van haar bed weg te slaan. Aanvankelijk houdt dokter De Jager ons gezelschap, teruggetrokken, observerend hoe Renée reageert, wat ze doet en
wat ze niet doet. Ze is duidelijk nog versuft van de da-
genlange anesthesie, niettemin blijkt ze geestelijk bij de
pinken. Ze herkent haar Beer, maar ze weet ook dat de
krokodil op het voeteneinde van haar bed, een geschenk
van vrienden, een vreemde eend in de bijt is; ze wil hem
niet in haar buurt. Het komt me voor dat ze beseft dat
ze even weg is geweest, ze weet niet waarheen, ze weet
alleen dat ze terug is, en in die opwinding schenkt ze
nog geen aandacht aan de verlamming, die precies midden over haar gezicht loopt. Ook is het mijn indruk dat
ze niet eens probeert om te spreken, niet dat ze vergeten is dat ze ooit wél heeft gesproken, dat denk ik niet,
evenmin denk ik dat de slang in haar keel haar zou be-
letten om het te proberen, ze heeft simpelweg nog geen
woorden nodig, ze kan terugvallen op of wordt herin-

nerd aan de periode in haar leven, al met al niet zo gek lang geleden, dat ze het ook zonder woorden moest doen en toch betrekkelijk eenvoudig contact maakte. Die eerste uren voeren de opwinding en de blijdschap van het weerzien de boventoon. We zijn herenigd na een verre reis. We hebben de luchthaven nog niet verlaten.

Na twee uren glijdt Renée in een rustige slaap. Ze ziet ons, en ze weet wie we zijn; hiermee zijn de vragen naar de cognitieve gevolgen van het infarct en trauma niet allemaal beantwoord, een goed begin is het zeker. Het heeft er vast toe bijgedragen dat de paniek is uitgebleven. Dokter De Jager heeft vastgesteld dat Renée mooi en tegelijk met de ogen knippert. Ze legt ons uit dat niet alle spieren in de lichaamshelften gestuurd worden in de gespiegelde hersenhelft. Knipperen met de ogen doe je simultaan, links en rechts. De besturing zit rechts in de hersenen, maar veel spiertjes rond het rechteroog worden links bestuurd. Dat zou ertoe hebben kunnen leiden dat het rechterooglid niet helemaal sloot.

Later krijgen we onverwacht antwoord op een veel belangrijkere vraag. We zijn bij Tereza's moeder gaan ontbijten en douchen als we bij het binnenkomen van de

picu meteen in de gaten krijgen dat er iets aan de hand
is. We zien de kopjes van Deborah en Evelyne om het
gordijn van box 4 piepen, we horen opgewonden gefluister als we naderen. Renée is wakker en zit op schoot bij
Angelique, die al lang haar dienst heeft beëindigd. Ze
lacht ons schalks toe, grote, holle ogen. De slang is uit
haar keel verwijderd. Angelique houdt haar stevig recht
en overhandigt een beker met een roze vloeistof: Fristi,
het kartonnetje staat op een van de verpleegkarretjes.
De arm van Renée is onzeker, maar slaagt erin de beker
naar haar mond te brengen en wat Fristi in haar mond-
holte te gieten. Renée sluit haar mond en slikt door. Ze
slikt, zonder te morsen, zonder te hoesten. Het applaus
van de verpleegsters en dokter De Jager moet de eerste
keer spontaner hebben geklonken, niettemin, applaus in
de picu komt zelden voor. Renée kan slikken. Sommige
spierfuncties bevinden zich niet links of rechts, maar
pal in het midden, op de as van het lichaam. Ze vragen
de samenwerking van beide hersenhelften. Valt de ene
uit, dan is het afwachten wat de andere nog voor elkaar
krijgt. Renée kan slikken, zonder te hoesten, de kleppen
sluiten haar luchtpijp af. Ze blijft gevrijwaard van een
leven met een voedingssonde.

Natuurlijk is iedereen opgelucht en dolblij met het geweldige nieuws, iedereen wil haar zien, maar bij sommige familieleden komt het beeld van de ontwaakte Renée harder aan dan dat van de comateuze, zes dagen geleden. Zes dagen lang was er abstractie van de situatie: het oplichtende moederschip, mri-scans, medische termen, taal in het algemeen – we hebben zes dagen gepraat. Nu Renée wakker is, is taal overbodig: kijken vertelt de toeschouwer alles. Zo is het. Wat een herseninfarct betekent, is vlees geworden. Het weerzien is tegelijk een pijnlijk afscheid. In de wachtkamer troost ik mijn ouders.

Zaterdagmiddag, precies een week nadat ik Renée bij oma ging halen en naar het verjaardagsfeestje van Amélie bracht, rijden we door een tunnel naar kliniek 6. Angst en opwinding in de verwijde pupillen van Renée. Ze krijgt een kamer, voor haar alleen, in de midcare, een afdeling tussen de intensieve en gewone zorgen in, mét een slaapbank voor een ouder. Trees bestuurt het bed, we zijn te voet, we maken snelheid; ik houd het frame vooraan vast, mocht ze onverwachts hulp nodig hebben. Tegen de wand van de tunnel is in beide richtingen een lint van houten planken aangebracht, geïmproviseerde stootkussens voor de dure bedden. Op sommige kruispunten hangt een beslagen bolle spiegel. Vooral de lage tunnelboog, bezet met vaalgele tegeltjes, geeft het gevoel dat we onder het IJzeren Gordijn rijden, de vrijheid tegemoet.

De kamer stemt niet tot vrolijkheid. De midcare bevindt zich op de begane grond van kliniek 6 en heeft in tegenstelling tot de hogere verdiepingen in het gebouw geen zicht naar buiten: gangen, trappenhuizen, liftkokers, consultatieruimtes en dokterskabinetten sluiten de afdeling in. Met uitvoerig gebruik van melkglas wordt waar mogelijk het licht naar binnen gelokt. Een eendje, een goudvis, een kikker zijn in onze kamer in grove streken op het melkglas geschilderd; Renée vindt er niks aan, draait haar hoofd weg. Tereza organiseert, probeert op gewekt wat huiselijkheid te scheppen, alsof we een vakantiewoning betrekken. Na tien minuten dooft Renées opwinding over de aanwezigheid van een televisie. De tekenfilm is haar te druk, ze valt in slaap. Het is midden op de dag, we zitten aan weerskanten van haar bed; we durven elkaar nauwelijks aan te kijken.

Rond zessen, nadat Renée op een boterhammetje heeft gekauwd en fruityoghurt heeft gegeten, neem ik afscheid. Ze slaat haar arm om mijn nek en knijpt met al haar kracht, in een vreemde combinatie van liefde, plagen en ongestuurde agressie – ik moet me hardhandig bevrijden. Op weg naar de parkeertoren loop ik langs geparkeerde auto's in een blauwgemarkeerde zone voor mensen met een invaliditeitskaart. Eén voor één keur ik de auto's, de meeste zijn volumewagens, met ruimte voor de rolstoel en ruimte voor het in- en uitladen van de immobiele passagier. De Citroën C4 Picasso en de Seat Altea XL zijn niet lelijk, niet alleen maar praktisch. Ik verbaas me erover dat het merendeel van de chauffeurs het opvallende parkeervignet heeft vastgekleefd aan de voorruit, en het niet meer kan wegstoppen in het handschoenenkastje bij het verlaten van de blauwgemarkeerde zone.

Ik geniet van de autorit, van de beweging, de snelheid, het zich om mij heen vouwende landschap. De radiomuziek. Het is een zomerse zaterdagavond, men maakt zich op voor het hoogtepunt van de week. Ik weet dat er thuis niets op mij wacht. Nog voor ik de auto voor het huis parkeer, zal ik terug willen naar het eendje, de goudvis, de kikker, naar de kooi van aluminium. Als ik het dorp binnenrijd, neem ik een kleine omweg. Mieke heeft de voorbije week een paar keer gebeld. Ze is erg begaan met Renée. Met ons. Ze doet het niet uitdrukkelijk of opzettelijk, maar ze is op zoek naar vergiffenis; ze heeft het gevoel, de overtuiging, verkeerd te hebben gehandeld. Ik blijf zeggen dat haar geen schuld treft. Ze peilt mijn stem als ik over Renée praat. Als ik het zég, telt het niet: ze moet het zelf kunnen horen, in mijn stem. Als ze hoort dat ik het meen, is dat een soort vergiffenis. Want ik kan haar natuurlijk niet echt vergeven. Haar vergeven impliceert immers schuld. Mieke is onschuldig; Renée is míjn dochter. Toch neem ik een omweg, mijd ik het huis van Mieke, Paul en Amélie, boven aan mijn straat. Ik wil niet zien dat ze thuis zijn en niet dat ze uit zijn.

Lodewijk is het gazon in zijn voortuin aan het maaien. Hij komt dadelijk in zijn wat moeizame tred op me af. Hij is kwaad wanneer blijkt dat het verre gerucht dat hij heeft opgevangen, waarheid bevat. Hij schudt zijn hoofd, terwijl hij naar de grond kijkt, verontwaardigd over zo veel onrecht, kwaad. Zijn ene voet staat voor de andere, hij heeft zijn handen in zijn zij.

Ik voel me vreemd in mijn huis. Het is het huis van voor zaterdag 12 juli. Ik probeer me te verdoven met banaliteit, een spelprogramma, Weense worstjes met ketchup, het Tourjournaal, vrouwelijk naakt, homeopathische kalmeermiddelen en flesjes bier. Ik schop mijn schoenen uit, ik speel de zorgeloze vrijgezel. Kort na middernacht word ik wakker in de tweezitsbank, er is lawaai, het gemoffelde stampen van een beat, niet zo veraf. Feestende jongeren in een tent, het kabaal waait in vlagen over het huis. Op een dag wil Renée ernaartoe. Ik duw haar rolstoel door het tot modder vertrapte gras naar een stinkende feesttent. Misschien heb ik hulp nodig, krijg ik haar niet alleen op de plankenvloer die deint van de pogoënde pummels, mijn meisje. Ik hijs me uit de bank, ik ga naar boven, naar haar kamer, laat me in het hemelbed vallen. Haar hoofdkussen: de geur raakt me midscheeps. Het is de geur van vroeger, van veilig, van de onuitgesproken toekomst met een geslaagde studie en een beschaafde man. Moet ik hopen dat ze op een vrouw valt? Een zachte, zorgzame, lieve vrouw? Zal ik bidden, dat ze zich niet laat vernederen om een man aan haar te binden, die nooit voor haar schoonheid in de wieg was gelegd, die haar zijn sluimerende schaamte kwalijk duidt, eerst nog met stilte, dan met woorden, ten slotte

met zijn handen, een makkelijke prooi, net als in het begin? – Ik vermoord hem. Ik zweer het.

Ik heb er niets mee te maken, ik stel het vast, alsof ik
niet zelf aan het stuur zit en de pedalen bedien. Ik rijd de
afrit naar het ziekenhuis voorbij en steven op de stad af.
Ik parkeer ondergronds. Zondagmorgen, vroeg, mensen
op straat hebben uitsluitend vers brood in gedachten.
Twee keer loop ik door het glazen straatje, ik doe of ik de
kortste weg neem ergens naartoe. Vrijwel alle gordijnen
zijn gesloten. Sporadisch een lege barkruk, maar zonder
neonverlichting. Ik loop een blokje om, weet niet goed
wat ik zoek, wat ik hoop te zien. Ik slenter door de smalle
zijstraatjes, waar nog meer ramen zijn. Ik herinner me
onze reis naar Portugal, de bergen langs de Douro, hoe
een vos mij op een paar meter voorbijliep, omdat ik gewoon stil op een plek in het bos zat. Na tien minuten met
mijn telefoon aan mijn oor tegen een gevel te hebben ge-
leund, keer ik terug naar de auto.

Nog maar net bovengronds vang ik een glimp op van
een vrouw die om de hoek verdwijnt als ik de straat in
rijd; eenrichtingsverkeer dwingt me de andere kant op.
Het kan niet. Wellicht zie ik haar niet, maar herken ik

haar in een andere vrouw. Als het niet Sandra was, wat ik aanneem, zou zij het beslist kunnen geweest zijn. Haar houding, lengte, lange haren, markante boezem. Een kleine handtas van luipaard.

Renée is humeurig. Ze slaat ons, steekt daarbij haar onderkaak nijdig vooruit. Tereza en ik staan perplex. Wat moeten we hiermee? Haar woede is te begrijpen, en hoe anders kan ze die uiten? Pogingen om te spreken onderneemt ze niet. Nooit enig teken op haar gezicht, geen beweging van haar mond, niets in haar blik wat op de komst van een woord wijst. De aansturing is compleet verdwenen. Denkt ze nog in taal? Hoe radeloos moet ze wel niet worden als ze Tereza en mij hoort praten, over haar? Als we ons tot haar richten? Haar een vraag stellen om toch maar aan de weet te komen hoe we haar kunnen helpen, wat ze wil? Klinkt in haar hoofd een kakofonie van zinnen op zoek naar haar stembanden, of is het er onuitstaanbaar stil? We kunnen niet toelaten dat ze ons slaat, dat het gewoon wordt. Telkens wanneer we dit rustig duidelijk maken, huilt ze en wil ze knuffelen.

We krijgen een kinderpsychologe op bezoek. Nathalie. Zij zal de psychotherapie verzorgen in het revalidatieprogramma dat over een paar dagen van start gaat. Ze heeft voor Renée een pancarte gemaakt, een geplastificeerde A4 met verschillende symbolen: een glas water, een bord met bestek, een bed, een ongelukkig gezichtje, een potje naast een rol wc-papier. Renée is niet onder de indruk, speelt niet mee, duidt niets aan. Frustratie wordt het eerste grote obstakel, zegt Nathalie in de gang. We moeten haar wat tijd geven. Het is een voordeel dat Renée zo jong is. Een echte depressie ziet ze bij jonge kinderen na zware trauma's met ernstige fysische gevolgen bijna nooit. Wat bij volwassenen de regel is. Kinderen van die leeftijd denken niet lang na over de toekomst of het verleden. Ze vraagt of ik een camcorder heb. Videobeelden kunnen haar later, als ze wat ouder is, helpen om te verwerken wat er gebeurd is, om bepaalde dingen een plaats te geven, een hoofdstuk af te sluiten.

Voor de beveiligde ingang van de midcare, op het knooppunt van de gaanderij die een lange zijde van kliniek 6 beslaat met smallere doorgangen naar de aansluitende polikliniek, is een salonnetje ingericht. De smalle, lage fauteuils in bruin namaakleer staan op spitse poten, de bijzettafeltjes, twee stuks, hebben een zwartglanzend blad met een Japans aandoend bloemmotief. Het lijkt zo uit een hippe retrowinkel geplukt, maar de meubels zijn oorspronkelijk, dat ruik je. Er is ook een dranken-automaat, warme dranken. De chocolademelk wordt met water bereid. De smaak. Ik ben tien jaar: chloor, natte haren, suikerwafel.

Ik krijg een paniekerig telefoontje. Renée heeft hoofd-pijn. Ik ren naar haar kamer. Tot twee keer toe heeft ze precies de plaats van het infarct op haar hoofd aan-geduid. Wakker geworden uit een middagdutje, huilend van de pijn. Ze krijgt een behoorlijke dosis pijnstiller, de dokters blijven in de buurt. We blazen alle bezoek af. Ze kan niet stil liggen, ze vindt geen rust. Opnieuw door-staan we een eeuwigheid, dit keer veertig minuten lang. Dan daalt haar polsslag. Haar hoofdje is diep in het kus-sen gezakt, haar ogen draaien van links naar rechts, van mama naar papa. Een zucht, een glimlach, haar wijsvinger vragend in de richting van de televisie.

Ik zit naast Renée op het bed, ze leunt in mijn arm, en we kijken naar Knofje. Geen idee – dat zie ik onder de te-levisie door het raam, hoe de dokters met Tereza praten: ze weten het niet. Ik hoef niet te horen wat ze zeggen. Af-wachten. Observeren. Knofje heeft rood haar. Trees heeft de dvd meegebracht; haar dochtertje is dol op Knofje. Ik stel het me voor, 's avonds na haar shift, haar dochtertje net zo oud als het onze, het besef. Ze vertelt haar over een lief, ziek meisje, Renée, ze verleidt haar om spontaan haar dvd aan te bieden. Knofje zal Renée opbeuren. Korte filmpjes over een eigenzinnig meisje. Surreële, felgekleurde decors. Zo ziet Knofje het huis waarin ze woont, dit is hoe ze de wereld beleeft. Ik ben jaloers voor Renée en ook voor mezelf. Een kleurrijk, overzichtelijk leven met kleine gebeurtenissen. Na een paar filmpjes schijnt het me toe dat de Renée die we verloren zijn in Knofje is gevaren, en kan ik niet meer kijken.

Mijn eerste nacht in de midcare. Tereza slaapt bij haar moeder, alleen in ons huis is ze bang. Het is warm in de kamer, zweet parelt in de donsharen op haar bovenlip. Ze draagt een onderhemdje, verder niks. Ze ligt op een gewatteerde doek, die ik vervang nadat ik het zachte fluiten van een straaltje heb gehoord. Midden in de nacht kruip ik bij haar in bed. Ik omhels haar en kijk van dichtbij naar haar gezicht. Een volmaakt landschap. Zal ik genoeg liefde hebben? Zal ik haar steeds weer uit de diepte kunnen optillen? Waar is de kracht gebleven, die tergende vragen als deze op afstand moet houden?

Renée ontwaakt vreedzaam. Vrolijk. Ze glimlacht naar haar papa, dicht bij haar in het ziekenhuisbed. Het vroege zonlicht boort zich door het melkglas. Ze rekt zich lijzig uit, een kat, haar huid is zacht en glanzend als een pels. Het is 21 juli, het lijkt een bijzondere nationale feestdag te worden. Door de hoofdpijn gisteren komt er deze middag veel bezoek. Kan Renée het niet aan en schopt ze keet, dan schopt ze keet. Iedereen moet begrijpen dat ze snel vermoeid is. Tereza en ik kunnen niets garanderen. Ik neem me voor me rustig te laten meedrijven op het tij van de dag.

Tereza ziet er stralend uit; Renées ontbijt is nog niet besteld. Ik weet dat Tereza zich bedwongen heeft om niet een uur eerder te komen. Ze begroet ons met een verrassing, die ons gisteren door Nathalie in het vooruitzicht was gesteld. Een rolstoel. Geen gewone rolstoel: een rode. Hij heeft kleine, dikke banden, en de stoel is een laag piepschuim gevormd naar het lichaam van een zittend kind, vacuüm getrokken in hoogglanzend, rood plastic. Veiligheidsriemen als in een Formule 1-bolide.

We maken een ritje door kliniek 6. Renée kijkt haar ogen uit. Ik duw haar traag door de gangen, zodat ze een idee krijgt van de omvang van de pediatrie en begrijpt dat ze in het gezelschap verkeert van vele, zieke kinderen. Na het middageten is het zover: voor het eerst naar buiten. Frisse lucht. We besluiten het bezoek te verzamelen op het terras van een cafetaria in het hoofdgebouw. Renée ontvangt oma's en opa's, ooms en tantes met een stevige omhelzing, iedereen is in de wolken om haar in de rolstoel te zien, uit haar bed. De vriend van Tereza's moeder, Renées 'peetje Luk' – ze zijn twee handen op één buik – koopt haar een cornetto. Haar eerste ijsje, een mijlpaal; vanaf nu iedere dag een ijsje voor Renée! Er wordt geklonken en gelachen, en terwijl Renée het hoorntje tegen haar mond drukt en daarna haar lippen aflikt, een bijzondere techniek, worden de Tour de France en de politieke impasse aangekaart, verdwijnt ons ongeluk even van de voorgrond.

In de vooravond wandel ik met Renée in het groen tussen de klinieken. Ze heeft een uurtje geslapen. De dag is te mooi om in de kamer te blijven. Het is rustig, bezoekers hebben zich teruggetrokken en weer verspreid aan de andere kant van de hefboom. Ik maak snelle, gekke bochten, in en uit de gelijkvloerse verdieping van de parkeertoren. Ik hoor Renée lachen, het geluid van haar lach, versterkt door de halflege ruimte. Ik rijd wat dieper in het gebouw en stoot een korte schreeuw uit om haar de echo te laten horen. Plots slaakt ze zelf een schreeuw en luistert naar de weerkaatsing. Ze schreeuwt, het lijkt haar nauwelijks te verbazen, dit doelbewuste geluid dat uit haar keel komt. Huilen en lachen, maar nu schreeuwen. Het klinkt normaal, zoals vroeger, ik herken er haar stem in. We schreeuwen allebei en trekken ons niets aan van de mensen en hun vragende blikken. Variatie is er niet, alleen het volume kan ze kiezen. Ze schreeuwt alles van zich af, tot ze rood aanloopt, daarna lacht ze. Ik bel Tereza, laat het haar horen.

Een groen jurkje met korte mouwen, grote, waterige ogen en een jongenskapsel. Dokter Joke De Hoorne verschijnt in ons leven. In onze kamer. Ze is kinderreumatologe en heeft Trees meegebracht, die Renée zal verzorgen, terwijl wij even praten. Zij met ons. In een kamertje op de midcare waarin we nog niet eerder werden uitgenodigd. Kamer, in het midden staan vier tafels in de lengte tegen elkaar. Dokter De Hoorne aan de ene, wij aan de andere kant. Reumatologe. Ik denk aan de gewrichten van Renée, vraag me af wat er verkeerd mee is. De dokter begint met het diagonaal voorlezen van een samenvatting van

de afgelopen tien dagen: het geval Renée Steegman, telkens opkijkend als om bevestiging te vragen, alsof we
hier en nu nog iets aan het rapport kunnen veranderen,
daarna niet meer. Wanneer de samenvatting voorbij is,
zet ze een elleboog op de rand van de tafel. Eerst onder-
steunt ze haar kin, dan omvat ze haar hals. Alle artsen,
zegt ze, alle betrokken specialisten van de kinderafde-
ling hebben deze middag vergaderd. Omdat onderzoek
naar de oorzaak van de ontsteking van het bloedvat niets
heeft opgeleverd, kan men een aangeboren verzwakking
niet helemaal uitsluiten. Een zeer geringe kans, die in
de schaduw komt te staan van de meer voor de hand lig-
gende verklaring: een defect in haar afweersysteem. Als
er nergens sporen te vinden zijn van indringers, dan
moet het lichaam zélf de infectie hebben veroorzaakt.
De witte bloedcellen zijn overactief geworden, ze zijn ten
strijde getrokken tegen een onzichtbare – sorry, ik bedoel,
tegen een onbestaande vijand; er was niets aan de hand.
Bij sommige kinderen zorgt dit voor een ontsteking op
de gewrichten, zij krijgen reuma. Bij Renée was het dus
in de hersenen... Deze diagnose, zegt dokter De Hoorne,
een auto-immuunziekte, heeft natuurlijk gevolgen voor
Renée. Ze houdt haar hoofd een beetje scheef, haar ogen
tonen én vragen begrip, ze wou dat ze ons iets anders kon

vertellen. Renée zal een chemokuur krijgen en gedurende minstens een jaar een cortisonebehandeling. De chemo moet haar witte bloedcellen als het ware herprogrammeren. Haar verdediging moet platgelegd worden en vanaf nul weer heropgebouwd, in de hoop dat de witte bloedcellen zich daarna normaal zullen gedragen.

In de hoop dat?

Ja.

En wat als het niet lukt?

Als het niet lukt, kan het opnieuw voorvallen.

Een ontsteking?

Ja, een ontsteking.

Bedoelt u een infarct?

De cortisone zal haar het eerste jaar in hoge mate beschermen, en we volgen haar toestand natuurlijk op met regelmatig een mri...

Bedoelt u dat ze opnieuw een infarct kan krijgen?

Ja, dat kan. In de andere hersenhelft...

Wanneer?

De spanning in het groene tricot, als de schouders hun hoogste punt hebben bereikt, vlak voor de abrupte val: misschien morgen, misschien over vijftien jaar. We gaan ervan uit dat de behandeling werkt.

En dan, morgen of over vijftien jaar, wat dan?

Alleen maar de spanning in het tricot, die lang aanhoudt, langzaam weer afneemt. Dokter De Hoorne zegt het niet hardop, maar de boodschap is duidelijk. Bij een nieuw infarct is het over en uit.

Ik zit in de salon. Er moet een geheime route bestaan, anders dan de tunnels, die hier ergens begint, in de buurt van de drankenautomaat, op dit verlaten knooppunt van tijd en ruimte. Ik moet beter kijken. Ik sta op en loop rond, de woorden van dokter De Hoorne spoken door mijn hoofd, het verdict. Soms zie ik mannen, vaders, men rookt een sigaret op het binnenpleintje, drinkt een koffie, nooit zie ik een van hen terug. Hoe kan dat? Ik bekijk, betast deurlijsten, druk op een enkele schakelaar. Ik zie iets over het hoofd. Terug in de fauteuil merk ik aan de zijkant van de automaat een vlek op. De verf is verdwenen, het metaal zichtbaar. Een man komt aanlopen, een vader. Hij tast in beide broekzakken maar haalt niets tevoorschijn. Sigaretten noch kleingeld noch telefoon. Hij drentelt rond de automaat, houdt mij in de gaten, misschien heeft hij er weet van, heeft iemand hem een tip gegeven over deze ontsnappingsroute en ontdekt hij zo meteen de vlek op de zijkant. Mis-

schien kan het maar één keer. Ogenblikkelijk. Een pa-
rallelle wereld met dezelfde mensen, anders. Hij maakt
een fout, hij laat wat plaats, ik duik naast hem op. Ik
kijk hem aan, vol in het gelaat, en zie het, zijn vrees, ik
ben hem voor. Terwijl ik me tegen de automaat druk en
de weg afsluit voor een wanhoopspoging van zijn arm,
betast mijn rechterhand de zijkant, voel ik waar de gladde lakverf ophoudt, en raak ik de vlek aan.

1

Z ijn naam is Paul; zijn familienaam ben ik vergeten. Hij draagt een wit polohemd en een losse,
blauwe broek. De zaal van de kinesitherapie baadt in het
zonlicht. In een hoek gestapelde werktuigen en kleurige at-
tributen, aan de muur de houten turnrekken die sportzalen
over de hele wereld de aanblik van een sportzaal geven, en
dat al een paar honderd jaar. Een kalende vijftiger met een
onstuitbaar enthousiasme, geknield op een dikke mat. Tussen zijn benen zit Renée met haar rug naar hem toe op haar
hielen. Zijn arm om haar borst houdt haar als in een gareel.
Ze ziet er zweterig uit, verdwaasd van de inspanning, onverschillig voor wat Paul nu weer met haar van plan is.

Ik hoor Valeria en tik de pauzeknop aan. Willem ligt al
een uur of twee in bed en zal in één stuk tot de ochtend
doorslapen. Mijn bureau is naast onze slaapkamer; ik luister, wacht op de klik van de schakelaar die haar lamp dooft.
Ik zet een koptelefoon op.

Ik heb een onmenselijk geduld geoefend – niet uit vrije
wil. Vier dagen na het trieste nieuws, twee dagen voor de
begrafenis liggen drie videobandjes ter grootte van een tic-

tacdoosje tot ver na de middag op de eettafel, naast de zorg-vuldig opengesneden envelop waarin ze mij deze morgen zijn bezorgd. Afzender: Emiel Steegman. Het is zijn hand-schrift, de inkt komt uit een vulpen.

Felix zat in de montagestudio en kon zich niet onmid-dellijk vrijmaken. Gelukkig herkende hij de bandjes zodra hij ze onder ogen kreeg. Hij verzamelt oude spullen: pla-tendraaiers, analoge camera's, vintage broodroosters, ta-fellampen, polshorloges en stropdassen, maar ook telex-apparaten en vroege personal computers. Typemachines. Van hem heb ik hetzelfde model gekregen als dat waarop Steegman vermoedelijk *T* heeft geschreven, een Olympia SG1. De machine komt althans voor in het boek. Schreib-maschine Gross 1. Gebouwd eind jaren vijftig van de vorige eeuw, in Wilhelmshaven. Ik heb er ooit een paar aanzetten van de biografie op getikt. Het voelde verkeerd aan. Mooie schoenen in de juiste maat, gevormd naar vreemde voeten. Bovendien is het natuurlijk een hopeloos gedoe.

De passende camcorder had Felix vast en zeker, een fire-wirekabel ook wel ergens, het zoeken was naar een compu-ter met een geschikte poort. Een halfuurtje geleden ont-ving ik een bestand, getiteld 'E.S.'

Op het stilstaand beeld, in de zaal die mijn kleine werk-kamer verlicht, het begin van een actie. Paul heeft zijn bo-venlichaam naar voren bewogen, zijn borst raakt Renées achterhoofd.

Aanvankelijk heeft het me verbaasd, daarna steeds min-der, dat Steegman niets over zijn dochtertje schreef, over haar herseninfarct en de onzekerheid die erop volgde. Ze speelt een belangrijke rol in *T*, twee jaar later gepubliceerd, dat wel, maar tot het eind van het verhaal blijft ze jonger dan de leeftijd waarop het haar is overkomen. En na *T*, na de krankzinnigheden, heeft hij niets meer publiek gemaakt.

Paul duwt haar – een bruusk manoeuvre, onaangekondigd. Samen vallen ze voorover naar de mat, hij zet zijn arm en vangt haar met de andere op, ze hangt in het gareel. Hij prijst haar, zegt dat ze het prima doet, dat ze nu mag rusten. Hij knikt naar de camera: Heb je het gezien? Ik hoor Steegman, het moet zijn stem zijn die 'ja' zegt. De schouder, zegt Paul, beginnen bij de schouder, dan de bovenarm, altijd langzaam vanaf de romp opbouwen. Hij prijst Renée opnieuw, ze heeft goed gewerkt, en hij draagt haar naar een felrode rolstoel.

Waar hebben ze het over?

Ik bekijk de val een tweede keer, vertraagd. Zijn bovenlichaam dwingt haar voorover. De arm om haar borst houdt ook haar linkerarm vast. Met zijn linkerarm voorkomt hij dat ze tegen de mat smakken – zij kán haar linkerarm niet gebruiken, en haar rechterarm hangt er slap bij.

Na de derde keer begrijp ik het: hij probeert een reflex uit te lokken. Het is briljant! Hij spreekt haar instinct aan. Een bewuste sturing van de vrije rechterarm is niet mogelijk, daartoe is Renée niet in staat, maar in nood, wanneer de zwaartekracht haar dreigt tegen de mat te slaan, moet het lichaam zelfbeschermend ingrijpen en zoeken de hersenen impulsief een weg naar de ene arm die haar kan redden: een nieuwe, omgeleide verbinding, die voorlopig haar schouder heeft bereikt. De weg moet nu breder gemaakt worden, tot diep in haar arm.

Ik herken deze gang. Ik hoor de klakkende voetstappen van Steegman, of anders Tereza. Naar de lengte van de pas te oordelen: Steegman. Deze gang loopt centraal door het kinderrevalidatiecentrum van het universitair ziekenhuis. Ik ben er maar tweemaal geweest. Eerst was dokter Van Der Linden, de hoofdarts, afwezig. Ik ben tot het einde van de gang gelopen en terug. Aan de muur hingen verschillende foto's van kinderen in behandeling. Ik nam foto's van de foto's en heb pas later ontdekt dat Renée een van de kinderen was, onherkenbaar door cortisone opgeblazen. Een 'moonface'. Haar bolle hoofd met heksmuts is uit een foto geknipt en maakt deel uit van een collage die ze allicht zelf heeft gemaakt. Snippers zwart papier, aluminiumfolie, sterretjes en een opgekleefd rietje met pluimpje als toverstaf. Op haar ene wang is een spin gestift, op de andere het web. Halloween.

Ruw geschat heeft het me een jaar gekost om te reconstrueren wat er precies met Renée was gebeurd. Dokter Van Der Linden stond me even vriendelijk als argwanend te woord over de gevolgen van een niet aangeboren hersenletsel, tot de naam 'Steegman' viel, een baksteen, van grote hoogte, midden op haar bureau, waarna ze mij even vriendelijk als kordaat de deur wees. Met zijn bekendheid, zei ze, had haar reactie niets te maken, het geheim van een medisch dossier kende geen gradaties. Een bescheiden, intelligente vrouw, toegewijd aan het centrum. En ik, een kwajongen, betrapt.

Een gezang schuift tussen de voetstappen, tweestemmig gezang, onder in beeld neemt de hand van Steegman een kruk vast en maakt traag een deur open. Een kleine kamer, Renée zit naast Gaby, Gabriële, de logopediste, aan een tafel. Ze doen alsof ze niet merken dat Steegman binnenkomt, hoewel ze met hun gezicht naar de deur zitten. Renée richt haar aandacht op een kloeke cassetterecorder, vervat in een zwart foedraal van kunstleer, met uitsparingen voor de bediening en gaatjes voor de luidspreker, waaruit de stem opklinkt die ze met de hare probeert te volgen. Gaby kijkt tevreden toe en zingt nauwelijks hoorbaar mee met het woordeloze lied.

Steegman heeft op deze enscenering aangestuurd. Ontroerd door de demonstratie van een opmerkelijke doorbraak, is hij naar de kamer gerend om zijn camcorder. Als regisseur besluit hij om de verrassing te integreren in het fragment: wandelen door de gang, tot bij de deur waarachter zijn dochter, zo blijkt, zingend haar stem beheerst.

Na een poos houdt Renée op, ineens verlegen met alle ophef. Ze werpt steels een blik naar de camera. Dan zakt haar kin op haar borst en wordt haar glimlach een grimas; huilend laat ze zich, zittend in haar rolstoel, in de schoot van Gaby vallen.

Het volgende fragment duurt amper vier seconden.

Het frame is gevuld met een groot wit kussen tegen het opgeklapte hoofdeinde van haar bed. Renée leunt wat scheef in het dons. Het is vroeg, ze heeft een mouwloos slaapkleed-je aan, misschien zijn de gordijnen nog dicht; het beeld is grof, alsof het schemert in de kamer. Haar rechterhand ligt met een knik in de pols op de boord van het aangeschoven blad, naast een kartonnetje chocomelk en een bord met een halve boterham. De andere helft houdt Renée voor haar besmeurde mond. Haar blik is neergeslagen.

Zodra ik het fragment laat lopen, kijkt het meisje recht in de lens. Het grijpt me naar de keel. Ze huilt, maar anders dan in het vorige fragment. Dit is geen opwellend verdriet of zelfmedelijden, ze wordt niet vanuit een hinderlaag overvallen en van haar adem beroofd – ze neemt een hap van de boterham, kauwt. De vraag op haar hulpeloze gezichtje klinkt nog zwak: wat doe ik hier, papa? In een besef te volwassen voor een klein kind kijkt ze weg, zonder een verwijt, alleen met haar stille ontreddering en een boterham in het holletje van een dik kussen.

Hij legt de camcorder neer, natuurlijk, hij schuift naast haar in het hoge bed, één voet aan de grond. Hij besluit niets te zeggen, pogingen om haar te troosten zullen het verdriet aanwakkeren, doen oplaaien, hij let er zelfs op haar nauwelijks aan te raken. Hij voelt zich belabberd over elk van de vier seconden die hij haar gefilmd heeft, en toch, toch is hij op een vreemde manier blij deze moeilijk te grijpen grondtoon vast te hebben gelegd. De pure, gitzwarte schoonheid ervan.

Ik ruik het vakantiehuis nog, de zweem van zuurkool die door de warmte van de radiatoren, ofwel de zon, vrijkwam uit de bruine gordijnen. Gelukkig was het op Cap Gris-Nez overdag al aangenaam warm, we bleven weinig binnen. Het verblijf was een geschenk voor mijn dertigste verjaardag, van mijn ouders en mijn broer; het was minstens tien jaar geleden dat we langer dan een weekeinde onder één dak hadden geslapen. Ik verwachtte geen geschenken meer, maar bij het ontbijt op de bewuste dag volgden nog een fles Veuve Clicquot, een prachtige uitgave van een gloednieuwe *Moby Dick*-vertaling, en *De moordenaar*.

Ik had van Emiel Steegman gehoord maar niets gelezen. Hij leek me te ernstig voor zijn eigen goed, een schrijver die zichzelf nors voor de voeten liep, terwijl hij de wereldliteratuur als een gietijzeren bol op zijn schouders torste. Op grond waarvan ik tot dit oordeel was gekomen: geen idee. Een moeizaam radiogesprek, een auteursfoto, een flard van een commentaar op de redactie. Weinig, heel weinig. Precies zoals hij het in *T* zou hekelen.

Toen ik het boek dichtklapte, had ik twee maaltijden gemist. Ik voelde geen honger. Het strand was leeg, eb, de baai tussen Cap Gris-Nez en Cap Blanc-Nez was herschapen in een zandvlakte die vanuit de ruimte zichtbaar moest zijn. Ik stond op en begon te stappen. Ik sloot mijn ogen. Ik wist dat ik nergens op kon botsen, kilometers ver. De strakke wind die over de Noordzee kwam, bulderde in mijn oren. Ik weerstond de neiging om na een tijd toch maar mijn ogen te openen, daarna kwam de neiging niet meer terug. Alles verdween. Ik vergat het strand, ik vergat mijn benen en ik vergat de wind. Voor de tweede keer op mijn verjaardag verdween ik van de aardbodem, weg uit die povere vertoning die mijn leven was.

Misdaad en straf. Dostojevski. De vergelijking was niet te vermijden: op de eerste pagina van *De moordenaar* splijt Ferdinand, een zachtaardige weduwnaar van drieënzeventig, met een handbijl de schedel van zijn jonge buurman. Epigonisme werd Steegman niet aangewreven. Hij was de níeuwe Dostojevski, deze van de eenentwintigste eeuw, gebalder en inventiever. Niemand had verwacht dat er ooit nog een zou komen, iedereen was blij verrast.

Pas met *T* werd Steegman helemaal Steegman. Niemand vergeleek hem nog met een andere schrijver. Híj was nu de maatstaf.

Ironisch genoeg was dit de spijker waarop de advocaat van de familie Volckaert een halfjaar later maar bleef hameren. Steegmans positie en invloed brachten morele verplichtingen met zich mee, waaraan hij met zijn boek deerlijk verzaakt had. Op de derde dag van de rechtszaak zat ik dicht in de buurt van de advocaat, Pieters, en zag ik het plezier dat de man beleefde zich telkens opnieuw superieur te achten aan de schrijver die een groot succes kende. Hoe hij zijn rug strekte, zijn borst opblies en langs zijn neus neerkeek op het kamp van de beklaagde. De broer van Sandra, een kleine vechtersbaas met een tattoo in zijn hals, staarde onbewogen voor zich uit, de moeder zakte dieper in haar stoel elke keer dat de naam van haar dochter viel...

In een poëtische passage in het eerste deel van het boek maakt de beroemde schrijver T zich een voorstelling van alle kleine, onschuldige misverstanden, halve waarheden en losgeslagen interpretaties die zich via biografieën en secundaire literatuur ongemerkt genesteld hebben in de collectieve geest. Hij 'verzamelt' de boeken op een groot plein, enorme stapels, dicht opeengepakt, een schrikwekkend bouwwerk met nauwe gangen, gevormd door torenhoge muren, kieren eigenlijk, waarin het publiek zijwaarts voortschuifelt, op zoek naar een uitgang, radeloos. Een scène, bedenkt hij, waar Stanley Kubrick wel raad mee had geweten.

Ik las het boek op dezelfde plek als *De moordenaar*. November, dit keer, eind november, de zon zo laag dat ze elke oneffenheid op de zandvlakte met een schaduw onthulde. De mijne reikte tot in de duinen, leek op te stijgen.

Mijn hoofd bruiste als een glas limonade. Deze filosofische thriller, of existentiële detective, of hoe het boek daarna nog genoemd werd, was mij niets minder dan een schitterende provocatie.

Net als *De moordenaar* is *T* opgebouwd rond een betrekkelijk eenvoudig idee, een vondst – het zwaartepunt waarop de roman, hoe het verhaal ook tekeergaat, het evenwicht bewaart, en daardoor geloofwaardig wordt. T ontwikkelt, door toedoen van zijn dochtertje van bijna vier, een 'biofobie', een angst voor zijn eigen biografie, het enige boek met zijn naam op de kaft waarover hij niet de minste controle bezit. Angst om na zijn dood zijn leven te verliezen: zo staat het in de flaptekst van de eerste druk. Hij gaat op onderzoek uit, incognito als het ware, of: vermomd als zichzelf, om te achterhalen wie hij in de ogen van anderen is, welke verhalen en indrukken opgeld zullen doen, welke vader zijn dochtertje zal krijgen, mocht hij morgen doodvallen op straat.

Een kruisiging. Twee Deense recensenten en *The New York Review of Books* waren de eersten die in de 'T' zonder meer het oudtestamentisch kruisbeeld zagen, een grimmige voorafbeelding van wat T volgens Steegman te wachten staat. Wat hemzelf te wachten staat. Een kruisiging, na zijn dood, openbaar terechtgesteld, als Jezus Christus verkeerd begrepen. In het ontbreken van het bovenste stukje van het kruis zagen anderen dan weer een intellectuele onthoofding.

Opvallend, en in een verhaal als dit niet zonder betekenis, is dat Steegman de roman goeddeels gebaseerd heeft op zijn eigen leven, overdonderd door de plotse faam. De beslissing van T om midden in een interview, midden in een zin te stoppen met praten over zijn werk, gevolgd door de uitputtende analyses van die laatste elf woorden, is natuurlijk een directe verwijzing naar wat Steegman zelf overkwam na het afgebroken Journaalinterview op de avond van de historische toekenning van het Gouden Buikbandje, zijn laatste publieke optreden. Maar ook: Tereza, zijn vrouw, Renée, zijn dochtertje, het huis, zijn ouders, jeugdvrienden. Steegman speelt hoog spel met de werkelijkheid. De inzet? Ontkomen aan een biografie, misschien, ook. Je zou het boek kunnen vergelijken met zo'n spijkermat die de politie uitrolt over het wegdek om op de vlucht geslagen criminelen een halt toe te roepen.

Bij mij werkte zijn briljante literaire afschrikking averechts. Hoe harder uit het boek zijn stem opklonk die me verzekerde dat er niets meer te vinden zou zijn, geen ene snipper, dat hij alles van belang had opgebruikt in zijn roman, dat mijn poging nooit zelfs maar een schijn van geldigheid zou kunnen bereiken en gedoemd was om te stranden in het drijfzand van mijn veronderstellingen, hoe interessanter het me leek om zijn biograaf te worden...

Banaangele vaantjes slingeren van hoek naar hoek onder het plafond. Een smalle kamer op de derde verdieping van kliniek 6; chemotherapie. Acht jaar na mijn beslissing, een week na mijn veertigste verjaardag, kijk ik naar videobeelden die de man die in het niets verdween, mij heeft toegestuurd. Ik kijk door zijn ogen. Ik zie wat hij heeft gezien. Hij heeft hier een goede reden voor. Er is een reden voor deze onwaarschijnlijke buitensporigheid. Wil hij alsnog zijn licht laten schijnen op de gebeurtenissen? Hoe anders moet ik deze directe communicatie verklaren? Het zou een wel erg vreemde manier zijn om mij nog meer zand in de ogen te strooien.

Ik moet opletten, ik mag me niet laten afleiden. Ik heb het gevoel dat ik vooral in de hoekjes moet kijken en de randen aftasten. Het zal ergens toevallig in beeld verschijnen, kort, meteen weer voorbij, iets wat, na enig denken en puzzelen, alles wat bekend is omtrent de omstandigheden waarin Sandra Volckaert de dood vond, op de helling zal zetten.

Het is niet echt een kamer, de muren zijn niet van steen. Een glazen hok, Renée zit op een hoog bed naar het raam gekeerd, door een infuus druppelt het giftige Endoxan in haar bloed. Daarna moet ze nog vierentwintig uur nagespoeld worden om aantasting van gal, lever en nieren te voorkomen.

Steegmans schaduw valt schuin over haar benen. Om zich een houding te geven, of als commentaar bij het beeld dat hij maakt, vraagt hij wie ze straks op bezoek krijgt. De camera zwenkt naar rechts, zoomt in op een kleine delegatie die door de versierde gang komt aanlopen. Een vrouw, een fotografe, of iemand die het op zich heeft genomen foto's te maken, komt binnen, groet en vraagt of zij naast Steegman mag staan. Ze wordt gevolgd door het hoofd van de afdeling en een tengere, ietwat bedeesd glimlachende man, in een T-shirt. Buiten beeld blijkt ook Tereza aanwezig, de man schudt haar hand het eerst; in het Engels wordt hij gefeliciteerd. Dan, na een blik in de lens, groet hij Steegman, die zegt: Congratulations with your victory. De man steekt zijn hand uit naar Renée, lacht als een kind dat een kind herkent. Steegman vraagt of ze een handje wil geven, meneer komt helemaal uit Spanje. Uit Spanje, herhaalt Tereza gespeeld verbaasd. Renée geeft glimlachend haar linkerhand, de fotografe vraagt om naar het vogeltje te kijken.

Carlos Sastre. Het moet de dinsdag na de aankomst van de Tour de France in Parijs zijn. Gisteren heeft hij het lucratieve criterium in Uigem gereden, vlakbij, vandaag toont hij zijn hart voor het goede doel.

De fotografe heeft een probleempje met haar toestel, ze vraagt een piepklein momentje, en Carlos Sastre en Renée

Steegman verstarren in hun begroeting als twee door de wol geverfde wereldleiders. Na afloop krijgt Renée een gesigneerde foto en een lieve aanraking op haar wang. Alsof ze het niet heeft gezien, zegt Tereza nog voor de delegatie de deur uit is: Wat heb je daar? Heb je iets gekregen van die meneer?

Haaruitval zal beperkt blijven. De kuur bestrijdt geen kanker. Door de verlaagde immuniteit moeten publieke plaatsen zoveel als mogelijk gemeden worden. Zwembaden, binnenspeelpleinen, openbaar vervoer. Een verkoudheid kan haar doodziek maken.

Het is haar vierde verjaardag, 10 augustus 2008. Haar haren steken dun en steil, en schouderlang onder het nauwe kroontje uit. Ze zit aan het hoofd van de tafel, die gedekt is met roze papier. De cortisone en de verhoogde eetlust die ermee gepaard gaat, doen zich al merken in haar wangen. Ze neemt haar rechterarm bij de pols en schikt hem netjes naast haar kartonnen bordje, waarin een Disneyprinses is afgebeeld. Ze zit op een normale kinderstoel, een op maat gemaakte schelp die het onevenwicht in haar rug moet compenseren, is er niet. Ze zit mooi rechtop, haar spieren sterk.

Hoewel alleen Renée in beeld is, hoor ik onderdrukt rumoer van net gearriveerd bezoek. Ze zijn thuis, door het raam herken ik de taxushaag die de zijtuin afschermt van het smalle paadje dat langs het perceel naar de Schoolstraat loopt. Over haar schouder, door het hoekraam van de woonkamer, zie ik het huis van François Moens aan de overkant van de straat.

Het was de vreemdste ervaring, in de serre te zitten die precies zo beschreven staat in *T* – de eerste van vele. Bij stom toeval sprak ik François Moens het eerst, kort nadat het boek verschenen was. Ik wou gewoon de straat eens zien, de omgeving, misschien een glimp van Steegman opvangen. Voor het huis stond een groot, modern reclamepaneel: TE KOOP. TWEE STIJLVOLLE BURGERWONINGEN IN LANDELIJKE OMGEVING. Meneer Moens stond dicht bij de straatgoot zijn rolcontainer voor groenafval met een tuinslang schoon te spuiten. Toen ik langsreed, draaide hij zich naar de weg en keek me indringend aan. Hij droeg een wit onderhemd en een rode, hoog opgetrokken trainingsbroek. In de serre herhaalde hij zijn antwoord, zijn retorische vraag, meerdere keren: Wat moet ík daarover zeggen? Voorovergeleund in zijn fauteuil, zichzelf met beide handen op de borst wijzend, een cynisch trekje in zijn glimlach; het boek zat hem hoog. Hij vertelde dat Arlette, zijn vrouw, acht maanden geleden gestorven was. Hij stak zijn kin omhoog toen hij haar naam uitsprak, een man die zich sterk houdt, die zich soeverein boven zijn verdriet uittilt. Haar gebloemde schort hing niet aan het ene haakje aan de witte muur. Ik vond het, gastvrij onthaald in de serre, ongepast om zelfs maar te denken dat zijn vrouw in haar schort ter aarde was besteld.

Renée neemt geschenkjes in ontvangst. Op een leunstoel achter haar hangt een prinsessenjurk met pofmouwen en tule. Het bezoek houdt zich buiten beeld, men is omzichtig, de interactie met de jarige is onwennig en overenthousiast. Tereza helpt een envelop openscheuren, ook Steegman is heel benieuwd naar de inhoud: een knoop of schelp aan een touwtje, naar verluidt een geluksbrenger, gemaakt door haar beste vriendin, Luna, het dochtertje van de dichter Xander Nevski en zijn vrouw Lena. Nevski is haar familie-naam, van geboorte heet hij Van Nieuwenhuyze en Alexan-der. Luna blijft naast Renée staan, steekt een handje toe. Nog meer o's en a's bij het openmaken van geschenkver-pakking. Men spreekt stil, tegelijk is men erg op de stilte verdacht. Haar stilte.

De kaarsjes op de Winnie-de-Poehtaart blaast ze in twee keer uit. Lang zal ze leven. In de gloria.

Luna en Renée zitten naast elkaar op één stoel. Ze eten stukjes taart uit hetzelfde bord. Renée heeft haar kroon afgezet. De streep voor op haar schedel is met een vacht-je bedekt. Nevski wordt in beeld genomen, hij houdt een breed glas trappist aan zijn mond. Naast zijn hoofd het witte huis van mevrouw Schouteet, de weduwe in *T.* Ik compli-menteerde haar met haar ruime woonkamer die uitgaf op drie fleurige terrassen. Drie windrichtingen. Ze was een zonnekind, lachte ze. Altijd geweest. Tot drie keer toe zei ze: Vicky? Neen... Ik kwam in de verleiding om een andere naam te proberen. Het was alsof ze me daartoe uitnodigde. Niet Vicky, neen. Wie dan wel, dat moest ik zelf bedenken.

François Moens reageerde alleen maar verdwaasd, toen ik wat beschroomd de naam van het meisje liet vallen. Hij keek me aan, niet eens vragend, een vreemde, lege blik waarin ik tekenen van alzheimer dacht te ontwaren. Over-tuigd dat Vicky een verzinsel van Steegman was geweest, de aanzet van een afgebroken verhaallijn, de suggestie van een misdaad, hem ingegeven door de spotprijs voor zijn huis, de leegstand ernaast en de onvervulde kinderwens van Arlette en François, met geen ander doel dan vroeg in het boek het verhaal op scherp te zetten, ging ik op de koffie bij Lodewijk Wesselmans en zijn vrouw, de overburen. Vicky zorgde voor een kleine hapering in het gesprek. Lodewijk wierp tersluiks een blik op zijn vrouw, die stoïcijns in haar muntthee roerde en zei: Daar weten wij niets van.

Een bakkersfamilie? De zaakvoerder van het immobiliënkantoor hield zich niet onledig met de eigenaars van de panden die hij verkocht. Alleen het vastgoed interesseerde hem. Zijn verklaring? Mensen uit de stad willen een hoeve renoveren, mensen uit de streek willen bouwen.

In de salon, op een wit, hoogpolig tapijt, poseren Luna en Renée voor de camera. Ze zijn verkleed, Luna draagt een traditioneel flamencokleedje, Renée de prinsessenjurk die daarnet op de leunstoel in de woonkamer hing. Ze staan naast elkaar, schouder aan schouder. Renée wordt overeind gehouden door Tereza achter haar, en Julie, Tereza's zus, voor in beeld. Er heerst opwinding, kreetjes van bewondering, van aanmoediging begeleiden het tafereel. De handen en armen van Lena verschijnen, ze maakt een filmpje met haar fototoestel. Renée verstopt zich als het ware door pal naar Luna te kijken. Ze lacht met een scheef mondje.

Hij kan niet anders dan het beeld vastleggen. Het is een feestelijk gezicht, natuurlijk. Hij houdt haar scherp in de gaten. Wie is op het idee gekomen om haar op beide benen overeind te houden? Is dit een goed idee? Goed voor wie? Is deze vertoning, met de beste bedoelingen, natuurlijk, niet opgezet voor iedereen die het moeilijk heeft om Renée zo te zien? Wat met het meisje dat straks weer moet gaan zitten?

De gelijkenis met Tereza trof mij al bij ontvangst in de brasserie. Blozend van de drukte kwam Julie gezwind en met een vriendelijk gezicht tussen de tafels op mij af, de armen wat uitgestoken om mijn overjas aan te nemen. Na de sole meunière en tarte tatin wachtte ik nog een uurtje of twee. Ik dronk geen alcohol, schreef in een notitieboek, las in een tijdschrift. Als ik haar aansprak zou ze weten dat ik geen aangeschoten idioot was, maar een ernstig man. Hoe heb ik me vertild aan de gelijkmoedige glimlach waarmee ze tussen haar klanten bewoog, altijd beschikbaar...

Die eerste weken heb ik veel fouten gemaakt, mensen meer dan eens verkeerd ingeschat of benaderd. Ook kwam ik er snel achter dat de biografie schrijven van een levende auteur, eentje die succes kende, geen sinecure zou worden. Gelukkig heb ik veel research kunnen doen vóór het proces en de mediastorm. Daarna was het nog moeilijker. Soms deed ik me voor als romanschrijver om bepaalde informatie te bekomen. Romanschrijver werkte beter dan journalist of biograaf.

Vroeg in het boek, als het T duizelt bij de gedachte wat niet al een invloed kan hebben op zijn biografie, deelt hij ons op in drie categorieën. De fan, de academicus en de opportunist. Hij vraagt zich af welke biograaf hij het meest te vrezen heeft. De fanatieke academicus die de gelegenheid grijpt om surfend op zijn roem aanzien te verwerven. Maar het ergst: deze die zich voorneemt zijn werk te verklaren. Deze die niet wil geloven dat hij alles verzonnen heeft.

Niet veel later kantelt het verhaal. Een hilarische scène op een klasreünie met stomend dansfeest is de eerste van een reeks ontmoetingen met absurde naast-elkaar-dialogen, waarin T nog vrij geduldig en onnadrukkelijk kleine correcties probeert door te voeren in de beleving van anekdotes uit het verleden. Bijwijlen is het of hij, dwars door de mensen en de tijd heen, zich rechtstreeks tot zijn biograaf richt, hem passages uit zijn boek dicteert.

Vanuit de vestibule, die de salon voor in het huis scheidt van de woonkamer achteraan, filmt Steegman door de glazen deur de bank, waarin Tereza en Renée naast elkaar liggen en in de richting van hun voeten naar de televisie kijken. Het moet in de vooravond zijn. Ik kan de televisie niet zien. Ik meen de muziek te herkennen, sprookjesachtig, er gebeurt iets wonderbaarlijks. Dan hoor ik de fee, ze is net verschenen in een lichtende kring van stralen, ze zegt tegen de slapende Giupetto dat hij al zo veel geluk aan anderen heeft geschonken en het daarom verdient dat zijn wens in vervulling gaat. Ze wekt Pinocchio tot leven. Tereza ligt wat op haar zij gekeerd, met licht opgetrokken knieën, en sluit Renée tegen de rugleuning in. Steegman zoomt in tot dicht bij hun gezichten. Tereza knippert maar heel af en toe met de ogen, Renée bijna niet. Sereen, rustig, moeder en kind. Een 'gestolen' beeld, dat hij waardevol acht, dit momentje van niks en tegelijk alles.

In de tuin, bezoek, Renée zit met Luna en haar broertje Ramon op een blauwe picknickdeken, uitgespreid op het gras. Ze dragen petjes en hoedjes tegen de zon. Er ligt een hoop speelgoed, ze zijn al een tijd aan de gang. Een lijnvliegtuig trekt hoog en langzaam over, het geluid valt landerig uit de lucht.

Ze hebben besloten om de meisjes regelmatig, zoveel mogelijk, met elkaar te laten spelen. Dat is goed voor beiden, en erg belangrijk voor Renée. Ze wonen op een afstand van elkaar, maar het is zomer en vakantie.

Terwijl ik alles probeer op te nemen en te plaatsen, de bomen en struiken, de haag, het pad, klinkt meens een merkwaardige maar duidelijke 'nee'. Het komt uit haar mond. Steegman lijkt er niet van op te schrikken, niemand geeft een reactie. Er volgen er nog meer, ook wanneer iets anders wordt bedoeld, zelfs 'ja'. Alles is 'nee'.

De sfeer is niet als op het verjaardagsfeest. Men begrijpt dat het meisje beter niet voortdurend in het centrum van de belangstelling staat. Haar magnetische stilte is met een eenvoudig 'nee' opgegeven – ze kan zich, hoe beperkt ook, uitdrukken, laten horen. Men wil haar het gevoel geven een gewoon kind te zijn, zoals Luna en Ramon.

Maar een gewoon kind is ze uiteraard niet. Steegman houdt haar in beeld als ze ten slotte alleen op de deken achterblijft. Luna en Ramon lopen rond, joelen, verdwijnen in het huis, komen terug met een kinderservies op een dienblad naar de tafel van de ouders, zich van geen kwaad bewust. Giechelend vragen ze wie koffie wil, en wie thee. Eén euro. Nevski vraagt of ze geen charlatans zijn en gewoon water schenken. Nee, nee, dat zijn ze niet. Lekkere koffie. Espresso!

Met de camera voor zich uit zoekt hij de blik van Tereza. Zij heeft het ook gezien, knikt, ze stelt hardop voor dat Luna en Ramon nu koffie gaan drinken bij Renée. Steegman houdt het niet meer vol. Hij loopt naar zijn dochter, die puft en blaast en boos naar de tafel wijst. Hij vraagt wat ze daar heeft, en ze kijkt over haar schouder naar een ijsemmer, gevuld met water. Er drijft een kikker in. Haar gezicht breekt open, ze keert zich om en duwt de kikker onder. Opgewonden van de voorpret komt ze op hem af, eerst door haar gewicht zijdelings over de grond te slepen, dan op haar knieën: ze richt zich op en stapt op haar knieën. Ze loopt geconcentreerd met minuscule pasjes naar de rand van de deken. Midden in zijn vraag wat ze dan wel van plan mag zijn, richt ze de plastic kikker op de camera en knijpt er een spuwende straal water uit...

Steegman loopt traag, op het display volgend wat hij opneemt, door het huis naar de salon, waar Renée op de bank een soort troon heeft gemaakt van de kussens. Vanaf haar verhoogde positie kijkt ze tv. Hij knielt op het witte tapijt, zodat de camera ter hoogte van haar gezicht komt. Ze slaat geen acht op hem. Boos kijken, fluistert hij na een poos, en Renée spant haar lippen op elkaar tot er bijna geen kleur of mond meer overblijft. Haar blik is ijskoud, vervaarlijk, en kan niet door Steegmans ingehouden gelach verstoord worden. Hij zoomt in op haar ogen en fluistert: lachen. Een enorme grijns duwt haar bolle wangen op. Ze laat haar oog-leden aanhalig fladderen. Het spelletje gaat door tot op tv een kinderliedje wordt gedraaid. Er zit een dansbeat onder. Spontaan begint Renée uitbundig haar schouders te bewegen, ze draait haar hoofd heen en weer, ze danst al zittend. Hij vindt het geweldig, hij danst met haar mee, imiteert haar om haar aan te moedigen, haar plezier te vergroten, de camera schommelt. Als een onderdeel van haar dans laat ze zich achterover vallen. Ze hangt over de kussens met haar hoofd in de diepte tussen troon en armleuning en raakt niet meer recht, ze grinnikt. Hij helpt haar overeind te komen, maar niet echt helemaal, ze blijft op driekwart steken, klaagt in protest en lacht tezelfdertijd.

Als ze weer op haar troon zit en tv-kijkt, vraagt hij: Wat is dit? Ze neemt hem aandachtig op, herkent iets en brengt glimlachend haar wijsvinger naar de punt van haar neus. Klinkklaar, met een zichtbare inspanning, zegt ze: Neus.

Om het te kunnen uitspreken maakt ze het woord langer, eindigend met een licht schuifelende 's'. Je merkt hoe ze voor haar geestesoog de logopediste ziet, Gaby, die het haar, de aandacht op haar mond vestigend, de geopende lippen al vooruit, met nadruk voordoet.

In het kinderrevalidatiecentrum is men verbaasd over haar vooruitgang. Het is niet uitzonderlijk dat het spraak-centrum verschuift naar de rechterhersenhelft, waar het gewoonlijk de plek inneemt van het ruimtelijk inzicht, dat het meisje nu minder dringend nodig heeft – het is vooral de snelheid waarmee ze vooruitgaat die opzien baart. Ze werkt hard, ze is vastberaden, koppig. Elke weekdag brengt Tereza haar naar het ziekenhuis, telkens krijgt ze vier tot vijf uren therapie. Daarna moet ze rusten.

Door de directe resultaten blijft Renée gemotiveerd. Tereza en Steegman onthalen elk stapje voorwaarts op gejuich. Maar geen van beiden kan verhinderen dat tegelijk met de vreugde de angst toeneemt. Hoe beter het gaat, hoe mooier de vooruitzichten, hoe groter de vrees om alles in één klap te verliezen...

Ze loopt. In het volgende fragment loopt ze de keuken uit, naar de serre, dan de tuin in. Ik zet het beeld stil en bekijk het licht dat binnenvalt, de intensiteit van de zon, het stukje tuin, de kleren van Tereza die in een hoek van de serre een tijdschrift leest, haar schoenen: mogelijk vroeg najaar, warm achter glas. Oktober – Renée loopt. In de keuken krijgt ze van Steegman een donut met roze suikerlaag, ze houdt het gebakje als een trofee naar de camera, en loopt weg. Een zware, moeizame stap. Ze blokkeert haar knie, scharniert haar bovenlichaam over de kop van het dijbeen. Haar onderbeen staat lelijk naar buiten.

Hij protesteert, het is te vroeg. Hooguit mag ze op haar been staan, dat heeft Paul hun op het hart gedrukt. Haar nu al vrij laten lopen zal haar slechte gewoontes aanleren, de verkeerde stap, die moeilijk weer af te leren is. Nu zoekt ze de weg van de minste weerstand, de gemakkelijkste manier om vooruit te komen. Niet alleen slechte gewoontes, ze kan ook letsels oplopen aan spieren en pezen. Verrekkingen, ontstekingen. In de therapie mag ze enkel staan met haar spalk aangegespt. Ook het andere been wordt gespalkt om overcompensatie tegen te gaan. De harde kunststof is op maat gemaakt en omvat de kuit, hiel en voetzool in een hoek van negentig graden. 's Nachts draagt ze een spalk met een kleinere hoek, alleen om haar rechterbeen, om goed haar kuitspier op te rekken, die anders verkort en snel de spasticiteit in haar voet zal verhogen.

Hij zet de achtervolging in. Op weg naar buiten vraagt hij Tereza waarom ze niets doet. Ze had Renée moeten tegenhouden, ze weet wat Paul heeft gezegd. Waarom moet hij degene zijn die haar terechtwijst, de slechterik? Hij zou ook wel eens willen zeggen: Ach, laat haar toch doen, voor één keer.

Hij wandelt achter haar aan, bedaard, hij rent niet, wil haar niet opjagen, bang dat ze zal struikelen over haar tenen, die ze niet kan optrekken. Ze lijkt het pad naar het poortje tussen de coniferen te volgen, gewoontegetrouw. Ze draagt nog kleren van voordien, ze is dik in haar middel, een plooi tussen heup en romp – ze staat op barsten. Door de inspanning van het lopen, de concentratie die het haar kost, verkrampen haar arm en hand in een spasme en rijzen vanzelf tot schouderhoogte. Het is alsof haar hersenen het nutteloze lidmaat uit de weg willen om ongehinderd te kunnen lopen. Haar fletse haar slingert heftig van de hoekige bewegingen.

Gebeurt het hier? Door de herinnering die dit oproept aan drie, vier maanden geleden, toen de wandeling naar de kleuterschool zo alledaags was? Toen hij zich het paradijs niet cens realiseerde? Krijgt hij hier het idee voor het eerste hoofdstuk van *T*?

Het poortje heeft geen slot, alleen een schuifijzer. Het tuinhuis was op twee zakken potaarde en een verroeste hark na helemaal uitgeruimd: een donkere, vochtige plek, het leek er vijf graden koeler dan buiten. Ik ging zitten tegen de berk in de hoek van de tuin. Ik hield me stil, alsof ik hem zou kunnen betrappen, Renée voor hem uit, van plavuis naar plavuis springend, richting coniferen. Het opwindende maar ook teleurstellende gevoel dat ik nooit dichter dan dit bij Steegman zou komen. Ik bleef tot de duisternis, tot het eerste vleermuisje.

In haar slaapkamer, 's nachts, de rode schemer van de paddenstoellamp, de sterretjes op de muur. Renée ligt met beide armen op het dek, zo ingestopt en meteen in slaap gevallen. Ik verhoog het volume en onderscheid in de koptelefoon zowel háár ademhaling, langzaam, diep, als de zijne, slepend door de neusharen. Geen andere geluiden, of te zwak om door het microfoontje te worden geregistreerd. Haar rechterarm is vastgemaakt in een marteltuig: een met schroeven verstelbaar mechanisme ter hoogte van de pols spant haar hand en gestrekte vingers achterover. Haar teddybeer, 'Beer' in het boek, steekt tussen haar armen met zijn kopje boven het dons uit.

Hij wisselt af met Tereza. Een opdracht is het allerminst. Het liefst sliep hij altijd bij zijn dochter. Het liefst was hij altijd zo dicht bij haar, zo vredig. Wat is er mooier dan zijn slapende, alleen maar ademende kind, tot de ochtend bevrijd van haar beperkingen en zorgen? Hij weet dat zij als ouders een illusie van veiligheid scheppen, de warme, roze kinderkamer, papa of mama heel de nacht dicht bij haar. Niettemin voelt hij zich zelf nergens beter beschut dan hier, tegen het leven, tegen het lot, zich klein makend in plaats van zich groot houdend, weer een kind naast zijn kind. In een harnas van verse lakens, onzichtbaar onder het muggennet.

Beer houdt de wacht. Hij neemt hem in close-up. Zijn ogen zijn nog net te onderscheiden in het zwakke licht. Ze zijn levensecht. Een blik alsof hij weet dat hij in beeld is, mild superieur: film zo lang je wil, ik geef geen krimp, ik houd dit dagen vol. Een geheim agent, een speciaal gezant. 's Nachts rapporteert hij over Renée aan een hogere instantie. Inmiddels een lijvig dossier. Hangende.

Voor haar arm zijn de verwachtingen laag. In feite zijn er, buiten de controle over haar schouder, geen. Stappen is voor gezonde mensen relatief simpel: zodra de beweging door het bovenbeen in gang is gezet, wordt ze vanzelf door de zwaai van het onderbeen aan de knie voltooid. Links en rechts is de stapbeweging identiek, altijd zijn de benen samen aan het werk: een automatisme. Armen bestaan los van elkaar, de sturing is specifiek. Bovendien is de fijne motoriek van de hand uiterst complex.

In het geval van een hersenletsel geven verstoorde signalen één en dezelfde spier tegenstrijdige opdrachten. Naar links én naar rechts, naar boven én naar onder bewegen resulteert in een krachtige stilstand, een oncontroleerbaar spasme.

Ze wordt intriest als haar hand dienst weigert. Ze zit aan tafel en manipuleert de hand als was het een ongehoorzame puppy, iets wat buiten haarzelf bestaat. Waarom toch doet 'handje' zo moeilijk? Ze is uiteraard te klein om het over herseninfarcten en onontkoombare restletsels te hebben, het is te vroeg, te ingewikkeld. Maar haar verdriet ontmaskert hen. Het wijst hen met de vinger. Ze liegen door haar de waarheid te verzwijgen. Haar verdriet slaat op hen over, en zeurt door als Renée even later alweer moedig is, en monter, en nog steeds in het ongewisse.

Er volgen drie stukjes die voortijdig worden afgebroken. Renée wil niet gefilmd worden. Ze haast zich de kamer uit zodra hij met zijn camera op de proppen komt. Ze kruipt onder tafel, achter gordijnen. Haar 'nee' is niet voor interpretatie vatbaar: donder op met dat ding! Als hij haar maar kort achtervolgt, zet ze het op een schreeuwen. Ze huilt.

Ze moet zichzelf op video hebben gezien.

Hij houdt ermee op. Hij raakt de camcorder niet meer aan. Hij kan haar geen pijn doen, het is onvergeeflijk. De dagen komen en gaan: opstaan, wassen, medicatie, revalidatie, rusten; de weken, de maanden. En op een ochtend besluit hij dat het opnieuw zou kunnen, sterker, dat het moet, het is te mooi om het niet vast te leggen. Hij wil zoveel mogelijk bewaren. Hij heeft een vogel in de hand.

In haar haar zijn de sporen verdwenen, de strook is uitgegroeid en bijgeknipt. Ze is wat vermagerd, haar ogen worden niet langer door de zwelling ingekapseld en samengeknepen in die versteende expressie, die alle ongezond zwaarlijvigen typeert als waren ze genetisch aan elkaar verwant. Er hangt voorjaar in de lucht. De knoppen van de brem naast de taxushaag zijn een paar dagen geleden opengebarsten. Lodewijk Wesselmans heeft zijn gazon al helemaal in vorm. Renée heeft sportschoenen aan, een grote maat, haar spalken verstopt in haar broekspijpen, haar onderbenen en voeten stijf als prothesen. Niettemin is ze beweeglijk, in de woonkamer loopt ze vrolijk rondjes. Ze doet gek, spreekt in een verzonnen taal. Ze buigt, de rondjes worden kleiner, af en toe schuift haar ene voet onder haar uit, maar ze valt niet. Zijn hart mist telkens een slag. Alles wat ze doet, heeft ze moeten aanleren. Alles wat vroeger vanzelf ging, bootst ze na, zo goed als het met de andere hersenhelft na eindeloos oefenen nog mogelijk is.

Ni hao. Ze herhaalt het aldoor: Ni hao, zingend, ze heeft het van Tereza, die in de deuropening wacht met Renées jas. Ze vraagt waar haar Chineesje blijft. Renée vat post voor de camera, de benen gespreid, de ene hand in de zij, ze schudt met haar heupen. Dan brengt ze haar gezicht naar de lens: Ni hao. Het klinkt als een vraag...

Hij bewondert haar. Zonder de minste twijfel is ze de beste moeder die Renée kan hebben. Haar warmte, haar feilloze intuïtie. Hij denkt terug aan die avond, toen alles begon, in gezelschap van vrienden – vrienden die hij misschien eens moet opzoeken, onderzoek voor zijn roman, hij beslist het met de camera nog in zijn hand. Tereza was na twee maanden terug van China. Ze had het land doorkruist per trein. Hoe hij ertegen opzag om het geëxalteerde verslag te aanhoren van weer een verre, avontuurlijke reis 'met de rugzak'. Iedereen wilde toen op trektocht, had een lijstje van landen die men eerst moest zien voor men verder kon leven. Het Verre Oosten, Zuid-Amerika. Jemen. Hij droomde van een open sportwagen en Monte Carlo. Hij droomde het liefst thuis. Tereza was zijn tegenpool, schrok er niet voor terug zich te kleden in onbekende, jonge ontwerpers, die nooit beroemd zouden worden. Creaties die ze droeg als waren ze confectie, gewaden waarin anderen nagewezen zouden worden – niet zij. Hij lachte tranen met tuiten: de Chinezen waren grof en stonken, rochelden schaamteloos, spuwden in de trein, dwongen haar dure pasjes te kopen voor god weet wat, dreven haar en andere rugzaktoeristen midden in de nacht als vee uit het hotel, in een bus, daarna hoog op een berg, die in de mist gehuld bleef en niet de meest spectaculaire zonsopgang ter wereld liet zien, om vervolgens bijna met een stok terug naar de bus te worden gejaagd, back to bus, back to bus! Ze vertelde het met aanstekelijk plezier, om haar eigen onbeholpenheid, om de mislukking.

Ze is er niet; op bezoek bij een vriendin, of een dagje naar de stad, of languit in een heet bad met Kundera, haar lievelingsauteur. Het is een uur of zes. Renée heeft honger, ze zit aan tafel aan de kant van de ramen. Ter hoogte van haar hoofd vangen de uitlopers van de taxushaag het warme strijklicht dat in het wandelpad valt. Hij heeft de soep op het vuur gezet, boterhammen gesmeerd. Een pianosonate, licht, klaterend: Mozart. Het is een mooie dag geweest. Misschien heeft hij geschreven aan *T*, groeit het boek in zijn hoofd, krijgt het vorm, en stelt het feit dat hij weer aan het werk is hem rustig. Hij houdt ervan om afwezig in elkaars buurt te zijn. Als ze verveeld tegen hem aan komt leunen en met een knoop van zijn overhemd speelt, of van dichtbij zijn bril bekijkt, onbelangrijke vragen stellend en maar half luisterend naar het late, gemompelde antwoord. Hij houdt ervan om toe te kijken hoe ze eet, in zichzelf gekeerd.

Ze schept de croutons uit het glazen potje, in haar mok, ze telt er elf. De tafel is gedekt met een blauw kleed, de placemat is van riet. Haar rechterarm ligt alleen met het vuistje op tafel. Bord, mok, bestek, alles netjes op de juiste plaats. Orde. Overzicht. Ze roert met de theelepel in de mok, stopt hem in haar mond om hem schoon naast haar bord te leggen, maar de lepel, de soep, is heter dan verwacht: ze knijpt de ogen dicht, draait haar hoofd met een ruk weg, trekt beschermend haar schouders op. Haar rechterarm schiet omhoog. Ze zoekt meteen zijn blik, zijn reactie, die niet komt. En ook zij doet verder of er niets is gebeurd. Ze smakt een beetje. Tegen niemand in het bijzonder zegt ze: Ik vind dit héél lekker. Theatraal maakt ze haar ogen groot bij het lage 'héél'. De mok staat met het oor naar de kamer. Ze neemt de bovenkant vast om het oor naar zich toe te draaien, laat los, zuigt hoorbaar lucht tussen haar tanden, wappert met haar hand; ze werpt een snelle blik naar haar vader. De tweede keer zet ze door. Ze buigt zich over de mok en blaast dat haar pony opwaait. Niet zo hard, fluistert hij. Ze blaast zachter, slurpt van de soep, vindt haar toch nog iets te warm. Met de theelepel brengt ze dan maar een crou-

255

ton naar haar mond. Pas in tweede instantie valt de lepel in de mok en leunt ze met haar handen omhoog achterover, als in een stomme film – Mozart op piano – met gesperde ogen voor zich uit kijkend van de hitte op haar tong, die op hetzelfde ogenblik toch blijkt mee te vallen, ze knikt langzaam, goedkeurend, legt haar hand als een oud vrouwtje hoog op haar borst, en proeft verder met zuinig getuite mond. Als ze kaas van de rand van haar bord neemt, krijgt ze in de gaten dat hij stil lacht. En ineens ernstig, plots een meisje van vier en niet langer een comédienne, vraagt ze: Lach jij? De camera begint te schudden. Lach jij *bij* mij?

Ze eet verder van de stukjes kaas. Hij vraagt om haar armpje op tafel te leggen. Het is belangrijk voor haar schouder, dat hij op den duur niet gaat afhangen. Hij vraagt het opnieuw: Leg eens je armpje mooi op tafel. Ze eet rustig haar mond leeg en zegt: Als je het mooi vraagt. Wil je alsjeblieft je armpje op tafel leggen? Zij: Lieve Renée. Lieve Renée. Ze houdt haar hoofd scheef: Please? Please. Ze eet smakelijk van de kaas, zegt: Ka-aas, kaas... Zeg eens: Ka-aas. Ze brengt een stukje voor haar ene oog. Hij: Leg nu alsjeblieft je armpje op tafel. Zij, met een pieperig stemmetje: Please? Weer schudt de camera, ik lach met hem mee. Ze steekt speels een vermanende vinger op: Please? Please. Ze eet de kaas op, zonder haar arm op tafel te leggen. Héél lekker.

Buiten, in het achterste gedeelte van de tuin, staat Renée bijna ín de laurierkers. Ze houdt haar armen mooi naast haar lichaam, haar voeten tegen elkaar; ze straalt. Hallo, ik ben Renée en ik zing héél mooi. Met een blik die niets of niemand meer ziet, improviseert ze een snelle, veeleisende choreografie, terwijl ze steeds hetzelfde zinnetje zingt. Van Afrika tot in Amerika. Op de achtergrond wordt gelachen, in de handen geklapt. Algauw raakt ze buiten adem, maar voor opgeven is het te vroeg; in een heel andere toonaard, met dezelfde hartstocht en hardnekkigheid, zingt ze: Ik vind de woestijn zó mooi! Ze heeft staartjes boven haar oren, voelt ze bewegen op haar hoofd, ze geeft ze extra zwier.

Ze onderbreekt de voorstelling en vraagt om even op te houden met filmen. Ze heeft het warm, trekt haar wollen gilet met Mexicaans motief uit. Ben je klaar, papa? Armen langs haar lichaam, voeten tegen elkaar.

Na verloop van een paar minuten hijgt ze enkel nog 'Afrika' en 'Amerika'. Ze moet er zelf om lachen. Ze laat zich al bijna in het gras vallen als haar iets anders te binnen schiet. Zeg Roodkápje waar ga jij heen – zo alleen, zo alleen? Op de maat van het liedje zet ze grote stappen, die een cirkel beschrijven. Ze zwaait met haar wijsvinger. Tereza helpt haar met het tweede couplet: Ik ga naar grootmoeder, koekjes brengen – in het bos, in het bos...

Hij neemt oma, zijn moeder, in beeld. De bomen staan er nog kaal en kouwelijk bij, uitgezonderd de oude magnolia waaronder oma blij ontroerd het schouwspel gadeslaat. De kruin is viermaal zo hoog als de schuine, kronkelende stam: honderden – duizenden witroze bloemkelken, oplichtend in de zon. Zo overrompelend als een vergezicht.

Een eind verder zit zijn vader in groene overall en houthakkershemd gekniel tussen de palen en planken van een bouwpakket. Een nieuwe schommel, er ligt een roodplastic kuipstoeltje tussen het hout. In het gazon zijn vier putten gegraven voor de verankering met snelbeton. Hij richt zich op en roept hem smalend toe: Het is hier dat de lamp brandt! Hij buigt zich weer over een opengevouwen handleiding.

Pas rond zijn dertigste vinden ze elkaar. Vader en zoon. Beiden ouder, beiden bereid tot begrip. Nog steeds zien ze elkaar weinig, de verandering is niet spectaculair. Hij kan de overgang moeilijk aanwijzen. Op een dag moest er geklust worden aan een eigen huis. Op een ochtend gaven ze elkaar gereedschap aan. Het leek niet buitengewoon, het voelde alsof het nooit anders was geweest. Toen de kleerkast in elkaar was geschroefd, het brandhout gekliefd, de armatuur opgehangen, de voordeur gelakt, de dakgoot hersteld, de schommel verankerd, vroeg zijn vader hoe het ging met zijn boek, en hij zei: goed.

Ze blijken uitstekend te kunnen samenwerken, ze geven elkaar rugdekking, ze staan aan dezelfde kant. Ze drinken bier van de dorst. Met trots en zelfspot toont hij de blaren op zijn schrijfhanden. Toeschietelijk beweert zijn vader zijn rug te voelen, hij wordt er niet jonger op. Maar zijn vader is fitter dan hij, taaier, sinds zijn veertiende gehard in de fabriek. Hij draagt zijn wijsheid in zijn handen, onder dikke lagen eelt – samen klussen leert hem hoe zijn vader denkt. Hij dient hem graag, hij voelt zich nederig en tevreden met zijn afkomst, die hij lang met de letteren heeft bekampt. Hij is opgelucht. De tijd in Zingene, onder één dak maar op andere planeten, is voorgoed voorbij. Er hoeft niets meer gezegd of verklaard. Ze zweten en slaan de spijkers op de kop.

Zijn ouders, de ouders van Andy Boogaart en Petra van Rie én Sandra Volckaert woonden nog allemaal in een straal van een kleine honderd meter in de wijk in Zingene, toen het nieuws van Sandra's merkwaardige dood en de geruchten over een aanhoudingsbevel voor Steegman schokgolven door het land stuurden, die niet veel later Frankrijk, Engeland, Duitsland en Israël bereikten, waar T simultaan in vertaling was verschenen. Sociale huisvesting uit het midden van de jaren zeventig. De meesten van de oorspronkelijke bewoners waren er een beetje uitgegroeid; ze hadden niet hun biezen gepakt maar in alle opzichten, tot de gevel aan toe, hun woning aangepast aan hun moderne noden en vernieuwde status. Zijn ouders zouden een halfjaartje eerder, kort voor de publicatie van het boek, een aanbod van hun zoon hebben afgeslagen. Steegman verhuisde wél, een zelfgekozen ballingschap, vermoedelijk naar Frankrijk. Het platteland van de Elzas. De Cevennen. De Midi-Pyrénées. Of Ierland, tweets dat hij gezien was in de buurt van Michel Houellebecqs huis, met wie Steegman verscheidene uitgevers deelt. Schimmige foto's uit Hongarije; Tereza is een verre afstammelinge van roemrijke Slavische adel. Mij leek het waarschijnlijker dat ze de afstand tussen Renée en haar grootouders zo klein mogelijk wilden houden. De Elzas is al een heel eind rijden.

Tijdens die paar dagen dat het aanhoudingsbevel in de

lucht hing, heb ik meerdere keren het slothoofdstuk van *T* herlezen. Ik zal niet de enige zijn geweest. Het is het mooiste hoofdstuk van het boek, een kleine brievenroman op zich. T heeft zich ten langen leste teruggetrokken achter de omheining van zijn landgoed en gaat een intense correspondentie aan met Sandra V.: een suggestief steekspel tussen twee messcherpe geesten. Binnen een bestek van vijftig pagina's was Steegman erin geslaagd om *Les Liaisons Dangereuses* naar de kroon te steken. Adembenemend. Het hoogstandje heeft zijn weerslag op de perceptie van het hele boek.

Op de laatste bladzijde wordt Sandra V. dood aangetroffen in haar appartement. Op tafel ligt een handgeschreven brief, waarin ze in niet mis te verstane woorden afscheid neemt. Een prostituee van tweeënveertig. Zelfmoord. Maar onderhuids voelt de lezer dat er meer aan de hand is. Dat de afscheidsbrief net zo goed aan T gericht had kunnen zijn. Een brief die hij haar alleen na een correspondentie als de hunne kon ontlokt hebben. Met voorbedachten rade. Met het oog op moord.

Het was een veelgehoorde loftuiting, dat je het boek na het laatste woord meteen weer van vooraf aan begint te lezen; je hebt geen keuze, je vindt geen rust, je hebt het gevoel dat iets aan je aandacht is ontsnapt, dat je iets verkeerd gelezen hebt in een roman die nochtans kristalhelder is. Dat de waarheid voor het grijpen ligt. Een ander compliment betrof de stem van Sandra V.: het was nauwelijks te geloven dat Steegman zowel de brieven van T had geschreven als die van Sandra. Het was of de brieven uit een bestaande correspondentie waren geplukt, zo levensecht en authentiek.

In het flatje van Sandra Volckaert vond de politie maar één brief: op tafel, naast een stukgelezen paperback. Een kopie van de afscheidsbrief in *T*. Sandra Volckaert was op dezelfde wijze om het leven gekomen als het romanpersonage dat naar haar gemodelleerd moest zijn. Ze had de brief met de hand geschreven. Het onderzoek leverde uiteindelijk geen significante sporen op. Op een chaotische, rechtstreeks uitgezonden persconferentie verklaarde de onderzoeksrechter dat het slachtoffer was overleden door zelfdoding en dat de schrijver genaamd Emiel Steegman derhalve niet – hij keek beschuldigend in een explosie van flitslicht – in verdenking werd gesteld.

Maar de mallemolen was niet meer te stoppen. De honger van media en publiek was niet meer te stillen. De geruchten waren niet bij te houden, en sommige zouden nooit meer verdwijnen. Op Facebook werd gelinkt en gedeeld en gereageerd dat het een lieve lust was. Twitter was een kakofonie. Columnisten vlogen elkaar als viswijven in de haren. Mensen die pas recent wisten dat Sandra Volckaert had bestaan: iedereen had een mening over haar dood.

Sandra was vermoord door louche figuren in haar eigen familie, die handig gebruikmaakten van de succesroman om de verdenking op Steegman te laden. Ze deden in drugs. Exporteerden gestolen auto's naar Polen en Bulgarije. Ze fabriceerden xtc-tabletten. Ze waren betrokken bij mensensmokkel uit donker Afrika. Hadden banden met de Chinese

gokmaffia. Steegman had de perfecte moord gepleegd, ge-
wiekster dan T in de roman. Niemand, immers, zou hem zo
dom achten om op deze opzichtige manier Sandra Volckaert
van kant te maken. Een meesterlijk plan, dat het schrijven
van een roman behelsde, het wachten op bekendheid van
het verhaal bij een groot publiek. Later zou Hollywood dit
verfilmen, scenaristen waren al aan de slag. Zou het niet
van een geweldige ironie getuigen mocht John Malkovich
Steegman vertolken – Vicomte de Valmont in *Dangerous Liaisons*? Sandra was een manipulatieve bitch, erger nog dan
in het boek, ze had haar leven veil om toch maar het laatste woord te krijgen, haar ultieme wraak. Ze kon het niet
verkroppen zelf geen greintje talent te bezitten, en verkoos
dan maar om de naam van een groot auteur te besmeuren
met haar laffe daad. Steegman was een lafhartige jakhals
die men uit zijn hol in de bossen of bergen moest roken, om
hem in het glazen straatje aan de schandpaal te nagelen en
door de hoeren te laten stenigen. Zonder scrupules het leven van een weerloze, alleenstaande vrouw te grabbel gooi-
en voor eigen gewin. Een over het paard getilde parvenu.
Hij was het niet waard dat over hem gepraat werd.

Er kwam een rouwregister voor Sandra Volckaert. Op
Facebook schoten de steungroepen voor Steegman als pad-
denstoelen uit de grond. Het gescheld op internetfora werd
erger, en *T* verdween voor een tijd uit de rekken omdat on-
verlaten waar het maar kon de laatste bladzijde uit het boek
scheurden. De wijkagent die Sandra had gevonden – een
fan van Steegman – en die 's avonds zijn mond had voorbij-

gepraat tegen een verslaggever van een lokale radiozender – de lont in het kruitvat –, werd met handgeschreven kopieën van dé brief met de dood bedreigd, of toch duidelijk gemaakt dat hij maar beter zelfmoord kon plegen nu hij nog de kans had.

Pieters glorieerde. Op een en dezelfde avond zag ik de onbekende strafpleiter in drie praatprogramma's. Hij had al gewonnen, zijn optredens waren als een zegetocht door primetime televisie. Zijn broodje was gebakken, het stond op zijn vale proletengezicht te lezen. Een vlassig, inkrullend snorretje dat in kleur sterk afweek van zijn hoofdhaar – boven op zijn schedel in natte pieken, rondom droog en ongekapt. Moord en doodslag waren onmogelijk, zelfs onopzettelijke slagen en verwondingen maakten geen schijn van een bepleitbare kans. Laster en eerroof daarentegen. Hoe dan ook: een proces. Dat moet zijn ingeving zijn geweest. Als er maar een proces kwam, als hij Steegman maar voor een rechter kreeg. Met de huidige opschudding en aandacht zou het zijn of de schrijver voor het Hof van Assisen verscheen. Welke veroordeling ook, een 'schuldig' zou hem schuldig maken aan moord.

Na de eerste dag van het proces besloot de burgemeester van Zingene om een 'cordon publicitaire' rond een deel van de sociale woonwijk te spannen. De Engelse persfotografen lachten van ongeloof. Het huis van de familie Steegman en dat van de familie Volckaert kregen permanent politiebewaking. Tv-ploegen trokken het dorp in, zelfs het Journaal verlaagde zich tot onbenullige straatinterviews. Ik ergerde me dood. Geen sensatie, zoals de anderen brachten, maar een verslag over de impact van de mediawaanzin op een kleine gemeenschap. Een bakker. Een bejaarde vrouw. De pastoor. Waanzin die men met dit soort verslagen, bang voor de concurrentie, op de spits dreef.

De leeuwerikscène – de stuwing van de plot; ik kon de rechter wel volgen in zijn redenering. Maar ook begreep ik de commotie die ontstond, veroorzaakt tenslotte door de man die eerder bij beide partijen streng op redelijkheid had aangedrongen, en de mensen in de zaal op straffe van sancties tot kalmte had gemaand nadat de verdediging het slotdeel van de roman als niets dan fictie had omschreven en stelde dat er nooit contact was geweest tussen Steegman en de betreurde Sandra Volckaert, en Pieters glimlachend, langzaam met het hoofd schuddend, geruggensteund door het tumult, keizerlijk oprees uit zijn stoel.

Deze wending verraste iedereen. Een rechter die in een roman op zoek ging naar verduidelijking, van oordeel dat niets gezegd kon worden over het gewicht van het allesbepalende slotdeel als hij niet wist wat het 'waarheidsgehalte' was van de leeuwerikscène, de kiem van de intrige, de oorsprong van het epistolaire gevecht dat ze jaren later totterdood zouden voeren. Hij wilde inzicht krijgen in de graad van verdichting op dit scharniermoment, alvorens uitspraak te doen over de impact van de gevolgen, ook al waren ze verzinsel. Hij schorste de zitting voor onbepaalde duur.

'Het proces van de roman', kopte *The Guardian* de volgende ochtend, alluderend op Kafka. De krantencommentaren klonken unisono: dit zou de doodsteek voor de literatuur kunnen zijn. Wie zou, na het Steegmanproces, zich nog uitsloven of het aandurven om indringend proza te publiceren, al dan niet op eigen ervaringen gebaseerd, dat bij lezers tot identificatie leidde? Fictie zo treffend geschreven dat het kennelijk gevaarlijk werd, of – in de woorden van meester Pieters – de eer van de lezer, in dit geval Sandra Volckaert, te na.

In de aanloop naar de getuigenissen van Andy Boogaart en Petra van Rie vond Sky News boer Tuyt, in een bejaardentehuis in Wevelzele, vijf minuten rijden van Zingene. Ze hadden hem in zijn leunstoel gepoot, in de hoek van de kamer, onder een kruisbeeld waarachter een verdroogd palmtakje stak. De dichtgeknoopte boord van zijn overhemd hing losjes om zijn hals, een bleke, oude man met nog dooraderde wangen van het buitenleven. Hij kende Emiel Steegman. Jaja. Wist hij dat hij in een wereldberoemd boek voorkwam? Jaja. Zijn dochter trad op als tolk, bij zijn jaja's knikte ze. Hij wíst het wel. Een vrouw die de volvette koeienmelk, de roomboter en de varkensreuzel uit haar jeugd nooit meer te boven was gekomen. Ze toonden hem beelden, eerder op de dag opgenomen, van de intussen verouderde straat, ooit zijn land, waar ooit, op een zekere dag, toen het ineens stil werd, uit het hoge gras een leeuwerik opsteeg. Boer Tuyt keek naar de microfoon die buiten beeld hoog door zijn kamer zweefde. Jaja. Zijn dochter knikte. Hij wist dat het daar was gebeurd.

Noch Andy Boogaart, noch Petra van Rie leek me het type dat meineed pleegt, of het zelfs maar durft te overwegen.

Plichtbewust – Petra dreef met haar man een eigen zaak, groenten en fruit, Andy was sinds jaar en dag ploegbaas bij een groot tuinbouwbedrijf – en duidelijk onder de indruk van de gebeurtenissen en de rechtbank. Omdat hun getuigenissen zo afweken van de realistische en invoelbare scène in *T*, en van elkaar, deden ze in beide kampen de wenkbrauwen fronsen. De rechter moet geoordeeld hebben dat hun herinneringen door de tijd gepolijst waren, herschikt, bijgekleurd tot het aanvaardbare, maar wel op een wijze die naadloos aansloot bij de karakters die Steegman hun in de betreffende jeugdscènes had toebedeeld. Andy beweerde stellig dat Steegman hem hoegenaamd niets had opgelegd. Hij was nooit, nooit de loopjongen geweest van wie dan ook. Petra zei dat de leeuwerikscène nooit had plaatsgevonden. Steegman en zij waren liefjes en trokken altijd samen op. Hij vond Sandra afstandelijk. Sorry dat ze het zo moest zeggen, maar hij vond Sandra niet mooi.

Le Monde bestempelde Steegmans veroordeling tot een morele schadevergoeding van 1 euro als een koopje, als een Prix Goncourt waarbij de winnaar niet een symbolische habbekrats ontvangt maar betaalt, toegekend aan mogelijk de laatste belangrijke literaire roman.

Het eerste klopte: *T* veroverde de Verenigde Staten en stond zevenentwintig weken op nummer één in Japan. Met het tweede liep het niet zo'n vaart. Acht jaar later is het klaar als een klontje dat het proces de literatuur heeft gereanimeerd. De buitensporige aandacht heeft een nieuwe generatie schrijvers voortgebracht, eigengereid, wars van conventies, en doordrongen van de zeggingskracht van de roman...

Was er werkelijk geen contact geweest tussen Steegman en Sandra Volckaert? Op het proces daagde de schrijver niet op: om niet onder ede op die vraag te hoeven antwoorden? Heeft hij de vrouw tijdens het schrijven van *T* opgezocht? Een relatie met haar gehad? Een vernietigde correspondentie? Of was zijn blinde, literaire invulling van haar volwassen gevoelsleven simpelweg een voltreffer? Zo niet, dan zou deze vrouw, immers geen prostituee maar een teruggetrokken postbeambte die 's nachts in het sorteercentrum werkte, niets bij het boek hebben gevoeld, er haar schouders over hebben opgehaald, heel misschien een proces hebben aangespannen, maar zich nooit op die manier van het leven hebben beroofd.

Was Sandra Volckaert jaloers op Sandra V., op haar leven, dat zij geleid wou hebben? Had ze het gevoel dat de brieven, via de roman, aan haar waren gericht? Een voortzetting van wat beiden in dat hoge gras gevonden hadden? Hij, die voor het eerst én laatst doorgrond wordt, of beter, ontmaskerd; zij, die bij hem de indruk wekt plezier te ontdekken in haar aanranding, misschien wel lust in haar 'openbaring'. Waarna hij haar, bijna dertig jaar later, in zijn boek een leven voorstelt waarin ze publiek is geworden. Ze vindt geluk in de bevrijding van zichzelf. Ze hoeft niemand meer te zijn, een onnoemelijke last valt van haar schouders. Keer op keer wordt ze de vrouw die de klant op haar projecteert. Ze is opgehouden te bestaan, tegelijk leeft ze duizend levens.

Was dit wat Sandra Volckaert alsnog voor ogen had?

Hij doet het stiekem. Hij zorgt ervoor dat het Renée niet opvalt. Een kleine opening maar tussen een van de strakke banen glasgordijn en het erkerraam. Ze hebben bij de voordeur al afscheid genomen, een kus, een bemoedigend tikje op de bips, geen drama: tot straks. Het is de kinderpsychologe die dit regisseert, zeven of acht maanden na het infarct. Renée heeft behoefte aan zelfstandigheid. Het is beter dat Tereza haar niet meer zelf naar het centrum brengt. Hoewel ze nog jaren intensief moet revalideren, heeft ze grote vooruitgang geboekt; de rolstoel is maanden geleden terugbezorgd. Ze moeten haar alleen durven laten, toevertrouwen aan anderen. Ze moeten leren loslaten.

Tereza staat achter hem, kijkt mee door de kier. Een taxidienst doet het hele land aan. De chauffeur – vandaag een jongeman met een witblonde baard, goedlachs, modern maar verzorgd gekleed, pientere blik – helpt Renée door de open schuifdeur in het busje. Geen van beiden heeft zin in loslaten. Het is hun kind, daar op het voetpad, in een jeans en een roze jack, met een rugzakje waarin vruchtensap steekt, mineraalwater, twee boterhammen met smeerkaas, een chocoladewafel. Papieren zakdoekjes.

Zelfs als hij haar thuis alleen in een kamer laat, kan de paniek hem bespringen. Onbeheersbare visioenen. Hij komt terug van de keuken met een glas melk en Renée ligt stil op het tapijt. Hij licht de brievenbus, gaat naar het toilet, schrijft. Hij was er niet bij. Boven het hoofd van ieder kind, iedere ouder bengelt een zwaard van Damocles. Dat boven Renée schittert en flonkert en glimt in het zonlicht, bij slagregen, in het holst van de nacht.

Ze kijken door de kier, ze zien haar misschien voor het laatst. Als het busje de straat uit rijdt, verdwijnen ze elk in een kamer, of ze omhelzen elkaar onhandig op een plek in het huis waar het vreemd is. De laatste keer: de gedachte moet meer dan vijf uren bestreden worden. Tot het witte busje naast het voetpad stopt. Ze wachten in de vestibule. Ze wachten om de deur open te maken tot de chauffeur en Renée halfweg het pad zijn gekomen. Ze horen haar stem door het ijsglas...

Ze danst in de serre. Een prelude van Chopin, een impromptu van Schubert doet haar ingetogen bewegen. Ze integreert haar beperking in een teer ballet; haar gebreken worden haar eigen, ze denkt er niet meer aan, ze hoort muziek die ze omzet in dans. Ze lijkt zich om Steegman of zijn camera niet te bekommeren. Het is kort na de middag. Ze hebben eenvoudig gegeten: worstjes, appelmoes, gebakken aardappelen; Tereza ruimt de vaatwasser in. Het vredige moment waarop een huishouden langzaam stilvalt en eindigt in dutjes. Straks, op kousenvoeten, de geur van koffie, het parfum van sinaasappel.

Hij vraagt zich af of er een dag komt waarop de nieuwe, dansende Renée de eerste Renée zal doen vergeten, in plaats van haar scherp in herinnering te brengen. Hoe ver ligt die dag, als hij bestaat, van hen af? Hij stelt zich de vraag, in de serre. Hij denkt: is het makkelijker voor ouders wier kind vanaf de geboorte beperkt is? Of juist niet? Is het andersom? Moet hij de dag vrezen dat de nieuwe Renée de

oude helemaal heeft verdrongen? Of hoeft hij niet te kiezen? Zullen de meisjes op de lange duur in elkaar vervagen,
alsof het ene altijd is blijven bestaan, het andere nooit anders is geweest? Tegen het daglicht over elkaar te schuiven
zonder nog een verschil.

Tereza filmt. Voor het eerst vannacht komt Steegman in
beeld. Hij rijdt auto, zij zit naast hem. Een bomenrij schiet
achter hem langs. Hij protesteert. Hij draagt zijn haar langer, blonder, dan ik me voorstel als ik aan hem denk. Hij
zegt dat Tereza nu moet ophouden; Renée, achterin, moe-
digt haar mama aan, die samenzweerderig sliept dat boon-
tje om zijn loontje komt. Hij grijpt naar de camcorder en het
fragment stopt: hij kijkt kwaad boven de lens.

Er is nog niets in dit gezicht te zien. Een beetje bleek,
het is ochtend, hij heeft niet zo goed geslapen. Misschien
heeft hij twee, drie uren geleden Naramig genomen, onderdrukt de naratriptan, door de bloedvaten te vernauwen,
op dit ogenblik een aanval van migraine. Wat ik zie, zijn
lachrimpels om zijn ogen, met het ouder worden te diep om
samen met de lach weer te verdwijnen. Gezwollen zijn zijn
ogen niet, het jukbeen onder het brilmontuur is nog gaaf –
geen lelijke man, kuiltje in de kin. Het is te vroeg om iets
te zien; op dit beeld moet de tumor achter zijn linkeroog de
grootte hebben van een sesamzaadje, een rijstkorrel, een
koffieboon. Achter de oogbol, buiten zicht. Hij weet nog van
niks. Jeuk, af en toe migraine, dat is het zo'n beetje. Een
trage horror die over een kleine tien jaar, op zijn onderkaak
na, zijn hele gezicht verteerd zal hebben. Bot, ogen, huid.

Het doodsbericht maakt opvallend de allusie op een natuurlijke dood. 'Tot het einde het leven in dank aanvaard.'

Een forse verkeersdrempel werpt de auto omhoog. Renée, die in gedachten verzonken door het raampje staarde,
kijkt om zich heen, zoekt iets op de achterbank, op de vloer.
Met haar hoofd schuin, als om Tereza's schoot te kunnen
zien, vraagt ze onzeker waar haar beer is. Waar is Beer?
Ze zou er toch zelf voor zorgen? Had ze niet tegen mama
gezegd, toen alles klaarstond op tafel, dat ze zelf voor haar
beer zou zorgen? Ze wil Beer! Ze trappelt in de rug van Tereza's stoel. Steegman vraagt om rustig te blijven; kijk eens in
de tas. Tereza graait in een tas aan haar voeten, vindt meteen de teddybeer. Is het Beer? Schat, dat zie je toch? Renée
leunt ver voorover en rukt hem uit haar moeders hand. Ze
legt hem op zijn buik, onderzoekt iets naast de bolle staart.
Daarna plukt ze aan een draadje in de naad van zijn nek.
Ze kijkt lang en ernstig in beide oogjes. Ten slotte drukt ze
hem tegen haar borst. Ze zucht. Het is Beer.

Kijk eens! Een strakke bries doet de magnolia sneeu-
wen, de bloembladen dwarrelen in een dikke wolk schuin
neer, bedekken het gazon met een witroze tapijt. Ze staan
in de badkamer op de eerste verdieping; de kraan drupt in
een vol bad, de verse schuimkraag knistert. Kijk eens! Hij
richt de camera op Renée naast zich, uitgekleed, ze kijkt
niet of hij ziet wat zij ziet. Ze wijst met een gestrekte arm.
Hij knielt en neemt haar gelaat op, een en al verwondering.
Hij zoomt in, brengt het oog aan zijn kant, groot en bruin
en diepglanzend, met lange wimpers, dichter en dichter. In

271

het oog tekent zich het raam af, de boomkruin, de feeërieke sneeuwbui. Ik weet wat ik voelde toen ik hen 's nachts hoorde ademen in de roze gloed van haar slaapkamer. Ik ben zó dicht bij Steegman. Ik bén Steegman...

Ze staan in de woonkamer, klaar om te vertrekken. Het is een grote dag. Hij vraagt haar welke dag het is vandaag. Waar gaat Renée naartoe? Ze gaat naar de echte school. Voor het eerst terug naar de echte school? Ze knikt. Een paar uurtjes, om te beginnen. Maar... bij juf Sylvia van de tweede kleuterklas? In de echte school? Een opgetrokken mondhoek. Een knikje. Ze zegt dat ze zo trots is dat ze bijna moet huilen. Hij zegt dat ze een goede reden heeft om trots te zijn, maar toch geen om te huilen? Ze luistert naar wat hij zegt. Dan huilt ze.

Even later is de stemming weer luchtig. Tereza en Renée gaan hem voor. Er bloeit iets in het gras, klaver misschien, hij weet het niet. De bruine, verschrompelde bloembladen zijn bijeengeharkt onder de magnolia. Renée probeert van de ene plavuis naar de volgende te springen, Tereza, in een halflange, beige regenjas met hoornen knopen, epauletten en een grote kraag, die los hangt maar toch mooi aansluit in haar taille, zegt dat Renée beter zou stappen. Als ze valt is haar broek groen.

Ze krijgen alle tijd om te kijken. Ze lopen nu naast elkaar, volgen hun dochter op een meter of vijf. Het wandelpad. De Schoolstraat. Hoe de binnenkant van haar rechterhiel bij elke stap tegen de linkervoet slaat. Eerst zegt hij dat ze flink is, dan dat ze mooi haar knietje moet opheffen.

Goed zo! Tereza neemt zijn hand; tegen elkaar kunnen ze niets zeggen.

Binnenkort zal ze naast haar revalidatie halftijds schoolgaan. De psychologe gelooft dat Renée, mits kleine aanpassingen, normaal onderwijs kan volgen. Ze zal iets meer tijd nodig hebben, en sneller vermoeid zijn.

De directrice heeft postgevat op het middelpunt van de lege hal. Vlak voor Renée gaat ze op haar hurken zitten, neemt haar vast bij de schouders en zegt zo blij te zijn om haar weer te zien. Ze schudt een beetje met haar hoofd. Zo blij. Kom, ze is vast benieuwd naar haar klasgenootjes. Met een kleine vertraging aanvaardt Renée de uitgestoken hand.

De gang is lang en recht, de kleuterklasjes liggen het verst van de ingang. Links klassen aan het werk, rechts ramen vanaf de nek tot het plafond. Aan de muur hangen onderdelen van de 'hardware' van een pc, vastgemaakt op houten plankjes, jaren geleden. Toetsenbord. Muis. Foto's van knaagdieren van bij ons. Een lang lint aquarellen. Op de vensterbank onthoofde plastic flessen, gevuld met zand, waarin bloemen van beschilderd karton of aluminiumfolie groeien. Steegman is bloednerveus. Hun galmende stappen. De nabijheid van het schoolplein.

Op het einde van de gang naar links, wat verder naar rechts, tot bij de klapdeuren. Daarachter de gang van de kleuters. Juf Sylvia kijkt om het hoekje van de klas. Ze slaat haar handen in elkaar, hurkt en opent haar armen. Renée laat zich omhelzen en zegt: Dag juf. Op de onwennigheid die volgt bieden de kleerhaakjes een uitweg: ze mag een van de symbooltjes kiezen die nog vrij zijn. Ze twijfelt. Ballon. Een ballon, dat is een mooi symbooltje, iedereen is het met haar eens. De juf houdt zich klaar om te helpen bij het uittrekken van haar jack. De kleutertjes zitten in een halve cirkel in een knusse hoek van de klas. Ze zijn muisstil. Wat zeggen jullie? Dag Renée!

Ze spreken af een halfuurtje voor de middagpauze. Ze willen haar deze eerste keer uit de drukte houden, het kan haar angstig maken, ze is nog erg onzeker.

Het gebeurt voor zijn ogen, op weg naar huis. Hij hoort het en kan vervolgens niet meer ingrijpen. De tip van haar sportschoen die hapert, midden op straat. Het is niet van vermoeidheid, de ene rijhelft ligt iets hoger dan de andere, ouderwetse betonplaten. Geen verkeer, anders had hij haar aan zijn hand. Het is geen haperen, haar schoen botst tegen de hoge rand. Na het geluid is er die hemeltergende stilte, waarin zowel Renée als hij weet dat ze hulpeloos afstevent op de grond. Ze verdwijnt uit beeld, het is te laat. Het went nooit. Elke val is de eerste. Omdat haar tenen maar net boven de grond naar voren zwaaien, in een schoen die omwille van haar spalk een maat groter is, kan de geringste oneffenheid haar doen struikelen. Dit is geen struikelen. Ze smakt vol tegen het beton. Een dode plof.

Het is niet de eerste keer dat het voor zijn ogen gebeurt. Het maakt hem misselijk van woede. Hij voelt een haat die kan moorden: zij, zo kwetsbaar en zwaar op de proef gesteld. Iedere keer op haar hand, die in haar val omhoogschiet, altijd op dezelfde plek, op en onder de knokkels van pink en ringvinger, een dikke korst met kloven, een lelijke wond die de kans om te genezen niet wordt gegund.

Hij is bij zijn dochter voor ze het uitschreeuwt.

Hij raapt haar snel en zonder moeite op, rukt haar weg van de grond als lag ze in het vuur, bijna hardhandig. Hij is één gebalde spier, hij zegt geen woord. Ze moet de stille kracht van haar vader voelen, sterker dan het onrecht dat haar neerslaat.

Hij draagt haar naar huis, ze huilt in zijn hals. De omhelzing kan niet dichter, ze wordt een deel van hem, gewichtloos. Hij zou tot de avond kunnen doorstappen, mocht hun huis op een dagreis van de school liggen. Hij zou het niet erg vinden als het zo was. Zijn neus in haar haar.

2

Willem staat rechtop in zijn bed, hoofd boven de tralies. Knipperend met de ogen lacht hij naar mijn stem in het licht. Hij heeft lang geslapen, het is bijna acht uur. Ik neem hem in zijn slaapzak op mijn arm. Zijn ene wangetje gloeit, het andere voelt kouder aan dan de kamer.

'Ben je de hele nacht op geweest?' Valeria kijkt naar mijn kleren. Ze heeft de onbeslapen kant van het bed opgemerkt. Ik ga op de rand zitten en laat Willem naar haar toe kruipen. Ze zegt: 'Kom, mijn engeltje.'

Op deze achtste verdieping biedt de slaapkamer een panoramisch zicht op de besneeuwde daken van de binnenstad. Het prille licht kleurt uitgewaaierde condensstrepen dichtbij roze en veraf donkerpaars. Uit schoorstenen wolken middeleeuwse rookpluimen.

'Hoe was het?'

Terwijl ik naar het juiste woord zoek, preciezer dan 'goed' of 'interessant', vraagt ze of ik iets gevonden heb, iets over Sandra Volckaert.

'Nee,' zeg ik. 'Geen aanwijzingen dat ze elkaar hebben

276

opgezocht, of contact hebben gehad. Nee.'

'Wat dan wel?' Met Willem tegen haar borst beweegt ze naar de rand van het bed, staat op en verdwijnt in de badkamer om hem een nieuwe luier om te doen.

'Eigenlijk alleen maar Renée. Hoe dat meisje gevochten heeft na haar infarct. Haar heldenmoed.'

'Maar je bent dingen over Steegman aan de weet gekomen?'

'Ja. Ik denk het wel...'

'En héb je er iets aan? Kun je het gebruiken in jouw boek?'

Ik hoor lichte wrevel in haar stem. Jouw boek. Ik ben de hele nacht op geweest, ik zal dadelijk wel willen slapen. Waarom doe ik terughoudend over een boek dat binnenkort moet verschijnen in een grote oplage? Waarover ik maandenlang met vreemden zal moeten praten? Ze is jaloers. Steegman was er al. Hij was er al voor zij kwam.

Alsof ze tegen Willem op het verzorgingsmeubel praat, zegt ze: 'Ik begrijp niet dat hij geen andere naam voor Sandra heeft gekozen. Dat zou hem en een hoop mensen een hoop ellende hebben bespaard.'

Ik ga op haar kant van het bed zitten, blader door het boek op haar nachtkastje. De bekroonde Franse debutant heeft donkere ogen en een getrimde baard. Vlakbij is het grote raam, waarachter de atmosfeer het licht nu in vlammende kleuren breekt, en weer het zicht beneemt op de ijzige lichtjaren tussen de sterren.

'Het is een afleidingsmanoeuvre,' zeg ik. 'Haar naam, Sandra V. Pas als haar naam in het boek bijna dezelfde was, zou de afleiding werken. Sandra V. is het geheim van T, Sandra Volckaert niet dat van Steegman. Niet echt.'

De val op de grond van de overvolle nachtluier. De kleefsluiting van een nieuwe. 'Zeg dat nog eens?'

Ik leg het boek terug, opengeslagen op de juiste bladzijde, omgekeerd. 'Ik geloof niet dat Steegman zo waanzinnig of obsessief als T is. Was. Hij heeft een deel van zichzelf uitvergroot. Begrijp je?'

'Ja, dat begrijp ik, dank je. Wat bedoel je met die afleiding?'

'Ik zeg niet dat het niet erg is. Het is natuurlijk een aanranding, althans naar de maatstaven van vandaag. Ik wil het zeker niet goedpraten: het was verkeerd. Maar het lijkt mij ook een spelletje, uit de hand gelopen weliswaar, maar een spelletje dat iedere ontluikende tiener gespeeld zou kunnen hebben. Niet? Kijk, als je het zo beschrijft als Steegman in *T* lijkt het heel wat, maar een andere schrijver zou daar wellicht iets frivolers van gemaakt hebben. Kúnnen hebben.'

'Denk je?'

'Ik keur het niet goed. Je hoort me niet zeggen dat het niets voorstelt... Ik zeg alleen dat ik denk dat hij dit als een afleidingsmanoeuvre heeft gebruikt. En het manoeuvre zou pas goed afleiden als het zo realistisch mogelijk werd voorgesteld. Met een naam die verwijst naar de vrouw in kwestie.'

'Weet je wat ik denk? Ik denk dat hij het verdomd goed heeft beschreven.' Ze verschijnt in de deuropening met Willem op de arm. Cellulitis waar zijn blote benen onder zijn gewicht worden samengedrukt. 'Maar we hadden het over geheimen...'

Willem zegt twee keer papa en laat zich voorover vallen. Zijn voetjes petsen op de vloer. Hij steekt zijn armen naar mij uit. 'Pakken.'

'Er is geen geheim... Ik geloof niet dat er een is. En hoe raar, hoe paradoxaal het ook mag klinken, dat zou de reden kunnen zijn waarom hij zich terugtrok. Hij was alleen maar zijn boeken. Ik denk dat hij dacht dat zijn leven banaal was... Hij was bang dat die banaliteit zijn werk zou devalueren.'

We ontbijten. We verdelen de krant, we lezen en eten in stilte. Als we al een tijdje alleen nog zwijgen, zeg ik: 'Vandaar die filmpjes...'

Ze draait haar hoofd naar mij om.

'Ik kreeg trouwens mail van Felix. Ze zijn echt, de bandjes. Het zijn de originele, bedoel ik. Had hij kopieën, dan zou hij niet de originele opsturen. Alle fragmenten gaan over Renée. Geen montage, ruw materiaal.'

'Misschien heeft hij digitale kopieën.'

'Waarom dan de cassettebandjes opsturen?'

'Het was hem menens. Dat in elk geval.' Ze begint de tafel af te ruimen. 'Hij wou indruk maken met zijn zending. Hij wou je opzadelen met verantwoordelijkheid. Een laatste poging, vanaf zijn doodsbed, om de boel naar zijn hand te zetten. Want kennelijk wil hij dat zijn dochter een prominente rol krijgt in jouw boek.' Ze neemt het dienblad op en loopt naar de keuken.

Door twee kieren vang ik een glimp op van mijn werk-

kamer aan de overzijde van de hal, een deel van de boeken-
kast, die gevuld is met alle *T*'s die verschenen zijn, bijna alle
herdrukken wereldwijd. Alle verstripte edities, filmedities,
uitgaven in braille. Alle *Moordenaars*. Twintig meter Steegman.

'Haar naam is Renée,' zeg ik.

'Wat?'

Haar vraag komt een tel te laat. Ze heeft me gehoord,
begrepen.

'Ze heet Renée. Zijn dochter.'

'Dat weet ik toch?'

Na vijf minuten vlijtig opruimen in de keuken vraagt ze
of ik nog koffie wil. Haar handen afdrogend loopt ze de kamer in en herhaalt haar vraag.

'Vandaar die filmpjes,' zeg ik. 'Hij vond zijn leven te banaal voor een biografie. Hij vond het geen boek waard. Dat
van Renée wel. Haar prestatie was groter dan de zijne. Ik
denk dat hij me zoiets aan het verstand wil brengen.'

De theedoek hangt stil aan haar handen.

'Jij denkt dat hij met die filmpjes probeert om een stokje
voor zijn biografie te steken? Begrijp ik het goed?'

'Ja.'

'Emiel Steegman? De beroemde schrijver van *T*? Is dat
niet een, ja, erg naïeve gedachte, schat?'

'Ik acht bij uitstek de schrijver van *T* hiertoe in staat. Het
is hem menens, de bandjes zijn origineel. Het is geen truc.
Ik denk dat hij oprecht is.'

Een hemelsbreed wolkendek schuift voor de zon. Er is

tien centimeter sneeuw voorspeld. In de invallende duisternis wordt Willem door de tv uitgelicht, een spookverschijning. Hij zit op zijn knietjes tegen de armleuning van de bank en kijkt gefascineerd naar een man, getooid in groen en rood en geel, die in het tuintje van een wit houten huis een liedje speelt op zijn versierde gitaar, te midden van dansende en lachende kinderen.

Ze gaat half op de stoel tegenover me zitten. 'Misschien, stervende. Maar zelfs dan, zelfs al is zijn bedoeling zo romantisch als jij het nu voorstelt, dan nog, stervende, moet hij beseft hebben dat als jij ervan afzag, een ander zijn biografie wél zou schrijven.'

Ik maak me een voorstelling van zijn sterfbed. Hij is thuis, het bed staat in de woonkamer bij het raam dat uitgeeft op de ommuurde parktuin met vijver, die hij alleen maar, door een waas van morfine, in zijn herinnering ziet. De blauwe flitsen van het duikende ijsvogeltje. Hij zoekt naar de naam, ijsvogel, hij weet dat hij de naam kent, hij zoekt traag, kinderlijk benieuwd of het hem op tijd zal lukken.

'Nee,' zeg ik. 'Hij was niet dom.'

Ze schudt haar hoofd. 'Nee, zo dom kan hij niet geweest zijn.' Ze lacht een beetje.

Dicht het punt genaderd waarop we niet langer zonder iets te zeggen zo kunnen blijven zitten, veegt ze opnieuw haar handen droog aan de theedoek, en staat op. Ze vraagt of ik zin heb in nog een koffie.

3

'S Avonds laat bekijk ik het verslag opnieuw, in mijn bureau. Het is heel kort. Alle nieuwskanalen toonden hetzelfde, korte verslag. Tereza zal een deal hebben gesloten. Eén cameraploeg maakt beelden voor een verslag van één minuut. Het is dit of niets. Ze hoeft geen geld. Buiten blijft de pers op een eerbiedige afstand van de kerk. Dat was het tweede wat me opviel: een kerk.

Tijdens de dienst herken ik familieleden. Vrienden. Collega's. Uitgevers. Een zeldzame hoogwaardigheidsbekleder.

De laatste elf seconden laat ik vertraagd afspelen.

Ze loopt naast haar moeder, die schuilt achter een fijnmazige sluier. Ze draagt een prachtige, zwarte pelerinemantel met dubbele knopenrij, zwarte kousen en discrete lakschoentjes. In augustus is ze veertien geworden. Haar haar is kort, een opgeknipte Franse carré die de lijn van haar kaak volgt en uitloopt in speelse punten.

Ik herken haar, ik zie het meisje van bijna vijf, al is dat meisje strikt genomen helemaal verdwenen. Dit is een jonge vrouw. Ik zet het beeld stil. De licht getaande huid. Het warme bruin van oog, wimper en wenkbrauw. Het kuiltje laag op haar kin, een deukje, niet meer dan een glooiing, die de contour van haar gezicht ingetogen afrondt. Ingetogen. Het is een schoonheid die fluistert, maar die door iedereen die ophoudt met praten, gehoord zal worden.

Ze huilt niet, ze is erg aanwezig, zich van haar omgeving bewust. Als ik het beeld weer laat lopen, stapt ze niettemin ontspannen en zonder hinken of haperen, met gelijkmatig geheven knieën, gearmd in de pas met haar moeder.

Het is haar rechterhand, geen twijfel mogelijk.

Ze brengt de witte bloem met een vloeiende beweging boven het matte hout, ter hoogte van zijn benen, bij de plek waar de bloem van Tereza ligt. Ze houdt het steeltje tussen duim en wijsvinger; alleen haar pink lijkt zich te willen strekken. Met de allerkleinste aarzeling, die mij eerder het gevolg toeschijnt van onderdrukt verdriet, scheidt ze de toppen van haar vingers, laat ze de bloem los, en brengt ze haar arm beheerst weer naast haar lichaam. De imitatie zo volmaakt, dat ze niet meer te onderscheiden is.

Veel dank aan iedereen die op een of andere manier heeft bijgedragen tot dit boek. Steegman heeft zich in hoofdstuk 14 van deel I vast laten inspireren door het essay dat Hans den Hartog Jager op 2 mei 2008 in NRC Handelsblad publiceerde over kijken en gezien worden. Ik dank het Vlaams Fonds voor de Letteren, het Nederlands Letterenfonds en de Provincie West-Vlaanderen voor de steun. Ik dank V. voor haar onvoorwaardelijke liefde.

Van Peter Terrin verschenen:

De code (verhalen, 1998)
Kras (roman, 2001)
Blanco (roman, 2003)
Vrouwen en kinderen eerst (roman, 2004)
De bijeneters (verhalen, 2006)
De bewaker (roman, 2009)